Contos africanos

Contos africanos

dos países de língua portuguesa

Albertino Bragança • Boaventura Cardoso
José Eduardo Agualusa • Luandino Vieira
Luís Bernardo Honwana • Mia Couto • Nelson Saúte
Odete Costa Semedo • Ondjaki • Teixeira de Sousa

Seleção e organização de textos
Rita Chaves

Ilustrações
Apo Fousek

As grafias dos contos originais foram preservadas na medida em que respeitem o Acordo Ortográfico da Língua Portuguesa de 2008.

VOLUME 44

editora ática

PARA GOSTAR DE LER

Contos africanos dos países de língua portuguesa

Conforme a nova ortografia da língua portuguesa

Editora-chefe Claudia Morales
Editor Fabricio Waltrick
Editora assistente Malu Rangel
Redação Fabiane Zorn
Coordenadora de revisão Ivany Picasso Batista
Revisoras Bárbara Borges, Cláudia Cantarin

ARTE
Projeto gráfico Mariana Newlands
Diagramadora Thatiana Kalaes
Editoração eletrônica Signorini Produção Gráfica
Pesquisa iconográfica Sílvio Kligin (coord.)

CIP-BRASIL. CATALOGAÇÃO NA FONTE
SINDICATO NACIONAL DOS EDITORES DE LIVROS, RJ

C781

Contos africanos dos países de língua portuguesa / Albertino Bragança... [et al.] ; organizadora Rita Chaves ; ilustrador Apo Fousek. - 1.ed. - São Paulo : Ática, 2009.
il. - (Para gostar de ler ; 44)

ISBN 978-85-08-12053-6

1. Contos africanos. 2. Literatura africana (Português). I. Bragança, Albertino. II. Chaves, Rita. III. Série.

08-4009. CDD: 869.899673
CDU: 821.134.3(67)-3

ISBN 978 85 08 12053-6 (aluno)
ISBN 978 85 08 12054-3 (professor)
Código da Obra CL 736454

2023
1ª edição
10ª impressão
Impressão e acabamento: Gráfica Santa Marta

Av. Otaviano Alves de Lima, 4400 - CEP 02909-900 - São Paulo, SP
Atendimento ao cliente: 4003-3061 - atendimento@atica.com.br
www.atica.com.br - www.atica.com.br/educacional

Sumário

Por um mar navegam as mesmas palavras

O que podemos ter em comum com a África? Em especial com Angola, Cabo Verde, Guiné-Bissau, Moçambique e São Tomé e Príncipe, cinco dentre mais de cinquenta países de tão vasto e diversificado continente?

A África permanece desconhecida entre nós, ainda que todos os dias algo venha nos lembrar dos laços que a ela nos unem. Laços que, no caso desses cinco países, passam especialmente pela língua oficial, que é a mesma e tão diversa, expandida em um oceano: o português*. No entanto, esses países – que foram colônias lusitanas até os anos 1970 – desenvolveram uma relação com a língua portuguesa diferente da nossa. Ali, nem todos os habitantes são falantes do

* Em julho de 2007, a Guiné Equatorial, que já tinha o espanhol e o francês como idiomas oficiais, passou a adotar também o português. Sua história, no entanto, a separa dos outros cinco países mencionados acima. Apesar de também ter sido descoberta por portugueses no século XV, a Guiné Equatorial não teve colonização lusitana, e sim espanhola. Esse fato influenciou, naturalmente, todas as suas vertentes culturais, incluindo a literatura, que, por esse motivo, não está presente neste livro. (N.E.)

português. Há muitas outras línguas correndo por seus territórios: só em Angola são muitas, como o quimbundo e o quicongo; em Moçambique, o número também é exorbitante, e inclui o macua e o xichangana; Cabo Verde, Guiné-Bissau e São Tomé e Príncipe falam variações do crioulo, entre outras línguas. Nessa babel, o português tem um papel importantíssimo: reforçar a unidade nacional a cada um desses países e permitir que eles possam estreitar contato com outras nações lusófonas. A língua portuguesa é o idioma presente nos documentos oficiais, o ensinado nas escolas e o usado por muitos escritores na literatura.

Esta antologia traz contos, em língua portuguesa, de uma África historicamente recente. Quem estiver habituado a encontrar, apenas nos noticiários, as terras e os povos africanos reduzidos à violência e à miséria vai se surpreender. É verdade que esses problemas fazem parte de sua história e principalmente de seu presente, mas não são os únicos fatos a serem destacados. As literaturas africanas são chaves para penetrar os muitos mundos que o continente guarda, desvendando alguns de seus mistérios pelas palavras.

Nesses contos percebemos que as lições do passado, quase sempre associadas ao campo, convivem com as marcas da vida urbana, revelando-nos uma pluralidade de situações que exprimem a força da vida moderna. Aprende-se com as lendas e as fábulas orais, mas se engana quem acha que o continente está preso ao passado, de costas para o futuro*.

A diversidade também está expressa no período em que os contos foram produzidos. Vejamos os casos de Moçambique e Angola: os dois maiores e mais representativos, no campo literário, países desse grupo. De Moçambique, temos "As mãos dos pretos", de Luís

* Para conhecer a história desses países, leia o texto "A mesma língua, outro continente, diversos países" na página 131. (N.E.)

Bernardo Honwana, escrito ainda no tempo em que o território era colônia, diferente de "O dia em que explodiu Mabata-bata", de Mia Couto, e "O enterro da bicicleta", de Nelson Saúte, que falam de um país já emancipado. Como representantes de Angola, "Zito Makoa, da 4ª classe" é de Luandino Vieira, o escritor que muda a literatura angolana nos anos 1960 e retrata com pungência e sutileza as agruras de um momento histórico repressor e violento. Nos anos 1970, Boaventura Cardoso se destaca pela visão política, pelo bom uso da oralidade, como vemos em "Gavião veio do sul e pum!". José Eduardo Agualusa, autor de "Passei por um sonho", surge no fim dos anos 1980 e Ondjaki, com o conto "Nós chorámos pelo Cão Tinhoso", traz em suas palavras os ventos da novíssima geração.

Apesar de menores, os outros três países ostentam grande riqueza cultural. Ainda no continente, a Guiné-Bissau traz Odete Costa Semedo com seu fabular "A Lebre, o Lobo, o Menino e o Homem do Pote", estabelecendo um diálogo com a tradição oral. Partindo para o mar, chegamos a Cabo Verde, representado por "Dragão e eu", de Teixeira de Sousa. Nesse arquipélago encontramos muita similaridade com o nordeste brasileiro: o clima árido, a força das pessoas e a presença da música são marcas da vida em suas pequenas ilhas. Navegando mais ao sul, aportamos em São Tomé e Príncipe. Vem dali o conto "Solidão", de Albertino Bragança, povoado por cenas que nos falam da vida junto ao mar, da força da música e do clima de desamparo que seus personagens enfrentam.

• • •

O português em que esses contos são escritos tem a força de uma língua que conhecemos bem. É a língua cotidiana que ali está, mas que, em cada um dos países, encontra diferentes formas de se realizar. Há mistura com os idiomas locais, palavras novas, há expressões que pedem maior atenção, há, principalmente, um modo diferente de falar da vida que se transforma e pede novas linguagens. Também isso podemos aprender com a leitura desses contos: se similaridades podem nos aproximar, diferenças não precisam nos afastar. O encontro será mais sólido se o conhecimento ajudar a combater os preconceitos e outros fantasmas. E a literatura é um bom caminho.

Rita Chaves

Professora de Literaturas Africanas de Língua Portuguesa da Universidade de São Paulo. Autora das obras A formação do romance angolano *e* Angola e Moçambique: experiência colonial e territórios literários.

Moçambique

Os conflitos que marcaram a história de Moçambique deixaram cicatrizes como minas terrestres e racismo, mas não conseguiram domar a força das tradições culturais. Misturados na memória e no cotidiano da nação moçambicana, a presença da guerra e a ameaça da morte encontram resistência no sonho por paz e liberdade.

A violência de uma sociedade em guerra pode ser exposta de maneira escancarada. Mas também pode ser contada entre o real e o fantástico, deixando a violência menos crua – mas não por isso menos veemente. O conto a seguir foi originalmente publicado em 1986, quando Moçambique passava por uma guerra civil que durou dezesseis anos. As histórias do pequeno pastor Azarias, do grande boi malhado Mabata-bata e da ave do relâmpago, ndlati, mostram o lugar mágico e o anseio pela mudança em uma época marcada pela brutalidade.

O dia em que explodiu Mabata-bata

Mia Couto

De repente, o boi explodiu. Rebentou sem um múúú. No capim em volta choveram pedaços e fatias, grãos e folhas de boi. A carne eram já borboletas vermelhas. Os ossos eram moedas espalhadas. Os chifres ficaram num qualquer ramo, balouçando a imitar a vida, no invisível do vento.

O espanto não cabia em Azarias, o pequeno pastor. Ainda há um instante ele admirava o grande boi malhado, chamado de Mabata-bata. O bicho pastava mais vagaroso que a preguiça. Era o maior da manada, régulo da chifraria, e estava destinado como prenda de lobolo[1] do tio Raul, dono da criação. Azarias trabalhava para ele desde que ficara órfão. Despegava antes da luz para que os bois comessem o cacimbo[2] das primeiras horas.

1 Dote que o noivo paga aos familiares da noiva para casar-se com ela. Esse valor leva em conta que, a partir do casamento, a mulher entregará sua força de trabalho a outro grupo familiar. A cerimônia em que se faz a oferta também é chamada de lobolo. (N.E.)

2 Umidade semelhante ao orvalho. Também se chama de cacimbo o período do ano em que a temperatura cai e a atmosfera fica mais úmida, o inverno. (N.E.)

Olhou a desgraça: o boi poeirado, eco de silêncio, sombra de nada.

"*Deve ser foi um relâmpago*", pensou.

Mas relâmpago não podia. O céu estava liso, azul sem mancha. De onde saíra o raio? Ou foi a terra que relampejou?

Interrogou o horizonte, por cima das árvores. Talvez o ndlati, a ave do relâmpago, ainda rodasse os céus. Apontou os olhos na montanha em frente. A morada do ndlati era ali, onde se juntam os todos rios para nascerem da mesma vontade da água. O ndlati vive nas suas quatro cores escondidas e só destapa quando as nuvens rugem na rouquidão do céu. É então que o ndlati sobe aos céus, enlouquecido. Nas alturas se veste de chamas, e lança o seu voo incendiado sobre os seres da terra. Às vezes atira-se no chão, buracando-o. Fica na cova e aí deita a sua urina.

Uma vez foi preciso chamar as ciências do velho feiticeiro para escavar aquele ninho e retirar os ácidos depósitos. Talvez o Mabata-bata pisara uma réstia maligna do ndlati. Mas quem podia acreditar? O tio, não. Havia de querer ver o boi falecido, ao menos ser apresentado uma prova do desastre. Já conhecia bois relampejados: ficavam corpos queimados, cinzas arrumadas a lembrar o corpo. O fogo mastiga, não engole de uma só vez, conforme sucedeu-se.

Reparou em volta: os outros bois, assustados, espalharam-se pelo mato. O medo escorregou dos olhos do pequeno pastor.

— *Não apareças sem um boi, Azarias. Só digo: é melhor nem apareceres.*

A ameaça do tio soprava-lhe os ouvidos. Aquela angústia comia-lhe o ar todo. Que podia fazer? Os pensamentos corriam-lhe como sombra mas não encontravam saída. Havia uma só solução: era fugir, tentar os caminhos onde não sabia mais nada. Fugir é morrer de um lugar e ele, com os seus calções rotos, um saco velho a tiracolo, que saudade deixava? Maus-tratos, atrás dos bois. Os filhos dos outros tinham direito da escola. Ele não, não era filho. O serviço arrancava-o cedo da cama e devolvia-o ao sono quando dentro dele já não havia resto de infância. Brincar era só com os animais: nadar o rio na boleia do rabo do Mabata-bata, apostar nas brigas dos mais fortes. Em casa, o tio adivinhava-lhe o futuro:

— *Este, da maneira que vive misturado com a criação há-de casar com uma vaca.*

E todos se riam, sem quererem saber da sua alma pequenina, dos seus sonhos maltratados. Por isso, olhou sem pena para o campo que ia deixar. Calculou o dentro do seu saco: uma fisga[3], frutos do djambalau[4], um canivete enferrujado. Tão pouco não pode deixar saudade. Partiu na direção do rio. Sentia que não fugia: estava apenas a começar o seu caminho. Quando chegou ao rio, atravessou a fronteira da água. Na outra margem parou à espera nem sabia de quê.

Ao fim da tarde a avó Carolina esperava Raul à porta de casa. Quando chegou ela disparou a aflição:

— *Essas horas e o Azarias ainda não chegou com os bois.*

— *O quê? Esse malandro vai apanhar muito bem, quando chegar.*

— *Não é que aconteceu uma coisa, Raul? Tenho medo, esses bandidos...*

— *Aconteceu brincadeiras dele, mais nada.*

Sentaram na esteira e jantaram. Falaram das coisas do lobolo, preparação do casamento. De repente, alguém bateu à porta. Raul levantou-se interrogando os olhos da avó Carolina. Abriu a porta: eram os soldados, três.

— *Boa noite, precisam alguma coisa?*

— *Boa noite. Vimos comunicar o acontecimento: rebentou uma*

3 Bodoque, estilingue. (N.E.)

4 Fruto de cor escura, muito utilizado para fazer uma espécie de vinho. No Brasil é conhecido como jamelão. (N.E.)

mina esta tarde. Foi um boi que pisou. Agora, esse boi pertencia daqui.

Outro soldado acrescentou:

— *Queremos saber onde está o pastor dele.*

— *O pastor estamos à espera* — respondeu Raul. E vociferou: — *Malditos bandos!*

— *Quando chegar queremos falar com ele, saber como foi sucedido. É bom ninguém sair na parte da montanha. Os bandidos andaram espalhar minas nesse lado.*

Despediram. Raul ficou, rodando à volta das suas perguntas. Esse sacana do Azarias onde foi? E os outros bois andariam espalhados por aí?

— *Avó: eu não posso ficar assim. Tenho que ir ver onde está esse malandro. Deve ser talvez deixou a manada fugentar-se. É preciso juntar os bois enquanto é cedo.*

— *Não podes, Raul. Olha os soldados o que disseram. É perigoso.*

Mas ele desouviu e meteu-se pela noite. Mato tem subúrbio? Tem: é onde o Azarias conduzia os animais. Raul, rasgando-se nas micaias[5], aceitou a ciência do miúdo[6]. Ninguém competia com ele na sabedoria da terra. Calculou que o pequeno pastor escolhera refugiar-se no vale.

Chegou ao rio e subiu às grandes pedras. A voz superior, ordenou:

— *Azarias, volta. Azarias!*

Só o rio respondia, desenterrando a sua voz corredeira. Nada em toda à volta. Mas ele adivinhava a presença oculta do sobrinho.

— *Apareça lá, não tenhas medo. Não vou-te bater, juro.*

Jurava mentiras. Não ia bater: ia matar-lhe de porrada, quando acabasse de juntar os bois. No enquanto escolheu sentar, estátua de escuro. Os olhos, habituados à penumbra, desembarcaram na outra margem. De repente, escutou passos no mato. Ficou alerta.

5 Árvore nativa da África tropical, coberta de ramos espinhosos. (N.E.)
6 Criança, menino. (N.E.)

— *Azarias?*

Não era. Chegou-lhe a voz de Carolina.

— *Sou eu, Raul.*

Maldita velha, que vinha ali fazer? Trapalhar só. Ainda pisava na mina, rebentava-se e, pior, estourava com ele também.

— *Volta em casa, avó!*

— *O Azarias vai negar de ouvir quando chamares. A mim, há-de ouvir.*

E aplicou sua confiança, chamando o pastor. Por trás das sombras, uma silhueta deu aparecimento.

— *És tu, Azarias. Volta comigo, vamos para casa.*

— *Não quero, vou fugir.*

O Raul foi descendo, gatinhoso, pronto para saltar e agarrar as goelas do sobrinho.

— *Vais fugir para onde, meu filho?*

— *Não tenho onde, avó.*

— *Esse gajo*[7] *vai voltar nem que eu lhe chamboqueie*[8] *até partir-se dos bocados* — precipitou-se a voz rasteira de Raul.

— *Cala-te, Raul. Na tua vida nem sabes da miséria.* — E voltando-se para o pastor: — *Anda meu filho, só vens comigo. Não tens culpa do boi que morreu. Anda ajudar o teu tio juntar os animais.*

— *Não é preciso. Os bois estão aqui, perto comigo.*

Raul ergueu-se, desconfiado. O coração batucava-lhe o peito.

— *Como é? Os bois estão aí?*

— *Sim, estão.*

Enroscou-se o silêncio. O tio não estava certo da verdade do Azarias.

7 Pessoa cujo nome não se sabe ou se quer omitir; indivíduo de reputação ruim. (N.E.)

8 Chamboquear, usar o "chamboco", isto é, um pedaço de madeira parecido com uma matraca, para dar uma surra. (N.E.)

— *Sobrinho: fizeste mesmo? Juntaste os bois?*

A avó sorria pensando no fim das brigas daqueles os dois. Prometeu um prémio e pediu ao miúdo que escolhesse.

— *O teu tio está muito satisfeito. Escolhe. Há-de respeitar o teu pedido.*

Raul achou melhor concordar com tudo, naquele momento. Depois, emendaria as ilusões do rapaz e voltariam as obrigações do serviço das pastagens.

— *Fala lá o seu pedido.*

— *Tio: próximo ano posso ir na escola?*

Já adivinhava. Nem pensar. Autorizar a escola era ficar sem guia para os bois. Mas o momento pedia fingimento e ele falou de costas para o pensamento:

— *Vais, vais.*

— *É verdade, tio?*

— *Quantas bocas tenho, afinal?*

— *Posso continuar ajudar nos bois. A escola só frequentamos da parte de tarde.*

— *Está certo. Mas tudo isso falamos depois. Anda lá daqui.*

O pequeno pastor saiu da sombra e correu o areal onde o rio dava passagem. De súbito, deflagrou um clarão, parecia o meio-dia da noite. O pequeno pastor engoliu aquele todo vermelho, era o grito do fogo estourando. Nas migalhas da noite viu descer o ndlati, a ave do relâmpago. Quis gritar:

— *Vens pousar quem, ndlati?*

Mas nada não falou. Não era o rio que afundava suas palavras: era um fruto vazando de ouvidos, dores e cores. Em volta tudo fechava, mesmo o rio suicidava sua água, o mundo embrulhava o chão nos fumos brancos.

— *Vens pousar a avó, coitada, tão boa? Ou preferes no tio, afinal das contas, arrependido e prometente como o pai verdadeiro que morreu-me?*

E antes que a ave do fogo se decidisse Azarias correu e abraçou-a na viagem da sua chama.

Mia Couto nasceu em 1955, em Beira, Moçambique. António Emílio Leite Couto ganhou o apelido "Mia" do irmão mais novo. Adotou-o por adorar gatos – quando criança, ele acreditava ser um deles. Antes de ser escritor, Mia Couto cursou medicina e jornalismo, formando-se em biologia. Participou ativamente do processo de independência de Moçambique e foi um dos compositores do hino nacional de seu país. Tem livros publicados no Brasil e em diversos países, dentre os quais figuram os romances *Um rio chamado tempo, uma casa chamada terra*, *O último voo do flamingo*, *Terra sonâmbula* e o livro de contos *O fio das missangas.*

É sabido que as crianças têm grande poder contestador sobre tudo o que as cerca – em especial sobre aquilo que as incomoda.

A dúvida do narrador do conto a seguir, escondida em uma pretensa inocência infantil, é descobrir por que as palmas das mãos dos negros são brancas. A questão, aos poucos, vai ganhando contornos mais sérios e evidenciando um grave problema que toma a sociedade moçambicana: o racismo e a necessidade de assumir uma identidade livre das imposições colonialistas.

As mãos dos pretos

Luís Bernardo Honwana

Já não sei a que propósito é que isso vinha, mas o Senhor Professor disse um dia que as palmas das mãos dos pretos são mais claras do que o resto do corpo porque ainda há poucos séculos os avós deles andavam com elas apoiadas ao chão, como os bichos do mato, sem as exporem ao sol, que lhes ia escurecendo o resto do corpo.

Lembrei-me disso quando o Senhor Padre, depois de dizer na catequese que nós não prestávamos mesmo para nada e que até os pretos eram melhores do que nós, voltou a falar nisso de as mãos deles serem mais claras, dizendo que isso era assim porque eles, às escondidas, andavam sempre de mãos postas, a rezar.

Eu achei um piadão tal a essa coisa de as mãos dos pretos serem mais claras que agora é ver-me a não largar seja quem for enquanto não me disser por que é que os pretos têm as palmas das mãos assim claras. A Dona Dores, por exemplo, disse-me que Deus fez-lhes as mãos assim mais claras para não sujarem a comida que fazem para os seus patrões ou qualquer outra coisa que lhes mandem fazer e que não deva ficar senão limpa.

O Senhor Antunes da Coca-Cola, que só aparece na vila de vez em quando, quando as coca-colas das cantinas já tenham sido todas vendidas, disse que tudo o que me tinham contado era aldrabice[1]. Claro que não sei se realmente era, mas ele garantiu-me que era. Depois de eu lhe dizer que sim, que era aldrabice, ele contou então o que sabia desta coisa das mãos dos pretos. Assim:

"Antigamente, há muitos anos, Deus Nosso Senhor, Jesus Cristo, Virgem Maria, São Pedro, muitos outros Santos, todos os anjos que nessa altura estavam no céu e algumas pessoas que tinham morrido e ido para o céu, fizeram uma reunião e resolveram fazer pretos. Sabes como? Pegaram em barro, enfiaram-no em moldes usados e para cozer o barro das criaturas levaram-nas para os fornos celestes; como tinham pressa e não houvesse lugar nenhum, ao pé do brasido, penduraram-nas nas chaminés. Fumo, fumo, fumo e aí os tens escurinhos como carvões. E tu agora queres saber por que é que as mãos deles ficaram brancas? Pois então se eles tiveram de se agarrar enquanto o barro deles cozia?!..."

Depois de contar isto, o Senhor Antunes e os outros Senhores que estavam à minha volta, desataram a rir, todos satisfeitos.

Nesse mesmo dia, o Senhor Frias chamou-me, depois de o Senhor Antunes ter ido embora, e disse-me que tudo o que eu tinha estado para ali a ouvir de boca aberta era uma grandessíssima peta[2]. Coisa certa e certinha sobre isso das mãos dos pretos era o que ele sabia: que Deus acabava de fazer os homens e mandava-os logo tomar banho num lago lá do céu. Depois do banho as pessoas estavam branquinhas. Os pretos, como foram feitos de madrugada e à

1 Trapaça. (N.E.)
2 Mentira. (N.E.)

essa hora a água do lago estivesse muito fria, só tinham molhado as palmas das mãos e as plantas dos pés, antes de se vestirem e virem para o mundo.

Mas eu li num livro que por acaso falava nisso, que os pretos têm as mãos assim mais claras por viverem encurvados, sempre a apanhar o algodão branco de Virgínia e de mais não sei onde. Já se vê que a Dona Estefânia não concordou quando eu lhe disse isso. Para ela é só por as mãos deles desbotarem à força de tão lavadas.

Bem, eu não sei o que vá pensar disso tudo, mas a verdade é que ainda que calosas e gretadas, as mãos dum preto são sempre mais claras que todo o resto dele. Essa é que é essa!

A minha mãe é a única que deve ter razão sobre essa questão de as mãos de um preto serem mais claras do que o resto do corpo. No dia em que falámos nisso, eu e ela, estava-lhe eu ainda a contar o que já sabia dessa questão e ela já estava farta de se rir. O que achei esquisito foi que ela não me dissesse logo o que pensava disso tudo, quando eu quis saber, e só tivesse respondido depois de se fartar de ver que eu não me cansava de insistir sobre a coisa, e mesmo assim a chorar, agarrada à barriga como quem não pode mais de tanto rir. O que ela disse foi mais ou menos isto:

"Deus fez os pretos porque tinha de os haver. Tinha de os haver, meu filho. Ele pensou que realmente tinha de os haver... Depois arrependeu-se de os ter feito porque os outros homens se riam deles e levavam-nos para as casas deles para os pôr a servir como escravos ou pouco mais. Mas como Ele já os não pudesse fazer ficar todos brancos porque os que já se tinham habituado a vê-los pretos reclamariam, fez com que as palmas das mãos deles ficassem exatamente como as palmas das mãos dos outros homens. E sabes por que é que foi? Claro que não sabes e não admira porque muitos e muitos não sabem. Pois olha: foi para mostrar que o que os homens

fazem, é apenas obra de homens... Que o que os homens fazem, é feito por mãos iguais, mãos de pessoas que, se tiverem juízo, sabem que antes de serem qualquer outra coisa são homens. Deve ter sido a pensar assim que Ele fez com que as mãos dos pretos fossem iguais às mãos dos homens que dão graças a Deus por não serem pretos."

Depois de dizer isso tudo, a minha mãe beijou-me as mãos.

Quando fugi para o quintal, para jogar à bola, ia a pensar que nunca tinha visto uma pessoa a chorar tanto sem que ninguém lhe tivesse batido.

Luís Bernardo Honwana nasceu em 1942, em Lourenço Marques (hoje Maputo), Moçambique. Já aos 22 anos, publicou *Nós matámos o Cão Tinhoso*, livro de contos que o consagrou como um dos mais importantes escritores de seu país. O engajamento na luta pela independência de Moçambique o levou à prisão nos anos 1960. Quase trinta anos depois, em 1990, então como ministro da Cultura, Honwana foi um dos signatários do Acordo Ortográfico da Língua Portuguesa.

A morte é assunto que aterroriza e fascina. De onde chega? Para onde leva? Em "O enterro da bicicleta", a morte invade o cotidiano de uma remota aldeia africana. Nessa aldeia, um fato insólito, porém, é quase maior do que a dor causada pela perda: o enterro será de uma bicicleta.

Trespassada por um humor cítrico, com tons de tristeza, a história de Nelson Saúte revela aspectos triviais do dia a dia e particularidades da cultura africana com algo de fantástico.

O enterro da bicicleta

Nelson Saúte

A aldeia foi sacudida com a notícia da morte do deputado. Todas as mortes são notícia em nossa terra, mas aquela foi invulgar. A consternação colheu também as aldeias mais próximas. Sem dúvida que aquele era um acontecimento para se escrever nos armoriais da povoação em que ele era a única personalidade carismática. Não era a primeira vez que empreendia aquela viagem de bicicleta até à vila, onde apanhava o machimbombo[1] que o levava ao distrito e, de lá, para a capital da província, de onde saía um *boeing* para a capital do país, onde se situava o parlamento. Nenhum dos habitantes daquelas terras alguma vez ouvira falar de leões. Falava-se, sim, de crocodilos que, não raro, devoravam crianças desprevenidas que tentavam atravessar para a margem adversa do rio. Contava-se inclusive a história de uma mãe que velou a cabeça do filho, dado que o corpo fora engolido por um crocodilo no rio. Aquele leão foi

1 Ônibus. (N.E.)

o primeiro de que se ouviu falar e, provavelmente, ouvir-se-á falar por muitos anos. Parece que o deputado ainda revelou alguma bravura quando se confrontou com a situação. Não fugiu, olhou frontalmente o animal, sem medo da sua juba e dos seus rugidos. Mas não estavam em igualdade de circunstâncias: as forças e armas eram tremendamente desiguais. O leão levou a melhor, tanto mais que do homem apenas restou uma bicicleta retorcida e alguns farrapos da sua roupa. A aldeia parou durante dias para os seus funerais.

Quando o deputado seguia para a capital, a aldeia parava para saudá-lo. A cerimónia decorria nas primeiras horas da manhã. Os habitantes da aldeia eram formalmente convidados para dele se despedirem na véspera. Havia aqueles que mesmo assim madrugavam para ir à machamba[2], mas à hora dos cumprimentos estavam na fila. Formavam-se duas longas filas por onde ele passava saudando os seus eleitores. Ninguém poderia duvidar: estava ali uma figura da aldeia, talvez a maior. Via-se na forma como o homem era celebrado, com cantos corais, coreografias populares, batuque e dança que levantava poeira.

O homem era conhecido por possuir uma extensa biografia, mas sobretudo sublinhava-se a sua passagem heroica pela luta armada. Aliás, o momento fundador da nacionalidade tinha sido esse para os seus exaltadores. Era um homem predestinado, indubitavelmente: não teve uma infância como as outras, cedo os seus ombros carregaram a pátria. Não se falava, como os outros meninos, de uma pueril passagem pela profissão de pastor de gado. Fora professor, isso sim, dizia-se com ênfase, uma profissão nobre. Cedo havia de se envolver em atividades políticas. Teve que abandonar a sua aldeia e rumar a Norte, para juntar-se à luta. Regressou com

2 Lavras, pequenas propriedades cultivadas. (N.E.)

a independência e não quis experimentar a vida da grande cidade, não que temesse seus perigos, as tentações que devoraram os revolucionários, a miragem que viu soçobrar muitos dos seus companheiros. Retornou à sua aldeia porque acreditava que era um homem do campo e lá tinha uma missão. Na verdade, aquela já não era a aldeia que deixara, mas muitos dos habitantes eram ainda do seu tempo. Vivia agora numa aldeia comunal e destacava-se nas atividades políticas.

Caserna e os sonhos. Agora estavam distantes. Olhava e sorria. Tinha uma corrosiva ironia no olhar, mas não perdia a modéstia nem a fleuma nas longas reuniões do partido, no parlamento ou na aldeia.

Muito se dizia também do deputado. Não foi ele que escolheu a mulher, foi-lhe distribuída pelo chefe. Isto lá no mato.

— Queres chegar à independência sem mulher? Não vês que estão ali muitas camaradas?

Apontaram para uma que era solteira. Assim desposara a mulher com quem vivia e partilhava a sua vida. Acontece que o homem vivia alheio a esses boatos e prosseguia animado com a sua atividade. Frequentemente descia para a capital, hospedava-se no hotel do partido. Ali não faltava nada, mesmo quando lá fora tudo escasseava. Era o tempo das bichas[3] e do cartão de racionamento. O prato de que mais gostava no hotel era caldeirada de cabrito. Um Lada[4] vinha apanhá-lo e dirigia-se ao parlamento.

Na aldeia onde vivia o deputado não havia um único automóvel. Por aquela rua, a única, de poeira e sem árvores, por vezes passavam bicicletas. Era uma rua sem o sobressalto dos motores,

3 Filas. (N.E.)

4 Carro fabricado na antiga União Soviética muito frequente nos países africanos que contaram com o apoio dos países socialistas para a independência. (N.E.)

apenas com crianças que brincavam debaixo do sol quando não tinham aulas. Nos dias em que o deputado regressava da capital, a rua engalanava-se. Duas crianças eram preparadas para oferecer uma coroa de flores, que lhe era colocada sobre o pescoço. Muito gostava de vê-las a marchar, com passos sincronizados, como se fazia nos dias festivos na capital. O deputado cumprimentava toda a gente com delicadeza. O seu regresso era não só motivo de festa na aldeia, mas também de frenesim.

O homem, depois dos cumprimentos da aldeia, dirigia-se à casa, onde lhe esperavam um balde de água quente para se banhar e comida diligentemente preparada pela mulher. Enquanto isso, os seus inúmeros filhos não o largavam, tentando saber que prendas o pai trouxera da grande cidade. Mais tarde reunia-se com as personalidades da aldeia e fazia uma longa banja[5], contando episódios das viagens, as pessoas com quem falara, o contato com os altos dirigentes do partido e da Nação. O deputado repetia fielmente os discursos proferidos na tribuna do parlamento, argumentando sobre as vitórias da revolução, vituperando o inimigo. Os seus olhos cresciam, os gestos eram largos, a sua eloquência transformava-o numa figura mítica. Quem o ouvisse apenas poderia convencer-se de que estava ali o presidente, fazendo um daqueles seus discursos.

O homem era o orgulho daquela remota aldeia, que vivia das machambas, de algum gado, mais do que nada. A água escasseava, mas havia um rio não muito longe, pelo qual as mulheres percorriam aqueles quilómetros com bidões à cabeça. As casas eram de adobe[6], muitas delas caiadas, hieráticas. Na varanda uma cama feita de palha, onde os homens se deitavam na modorra das tardes do tempo de calor. Havia

5 Fala, encontro. (N.E.)

6 Grande tijolo de argila, seco ou cozido ao sol, às vezes acrescido de palha ou capim para fazê-lo mais resistente. (N.E.)

ali um posto sanitário, muito precário, onde a velha parteira atendia a todo o tipo de doentes. A árvore mais frondosa tinha uma gigantesca copa que fazia uma sombra enorme, capaz de albergar todas as crianças que aprendiam acocoradas. Era uma aldeia pobre, mas os seus habitantes eram felizes. O deputado gostava de o referir nos encontros em que participava quando relatava os progressos da sua terra.

No dia em que foi conhecida a notícia da morte do deputado, os miúdos não tiveram aulas, as mamanas[7] regressaram cedo da machamba, os homens se reuniram na casa do mais velho dos aldeãos. O deputado era um homem de uma certa idade, mas havia anciãos na aldeia, que tinham outra autoridade. A rua de poeira, onde perfilavam os habitantes da aldeia para receber a figura singular da terra, era um horizonte de tristeza e desolação. Os meninos recolheram-se. Não se ouviam as gargalhadas que atravessavam os dias, nem os gritos dos que chamavam pelos seus, apenas um ou outro galo cacarejava extemporâneo. Um profundo silêncio baixara com a poeira da rua.

A velha parteira fechara o posto sanitário. Não tinha muitos doentes. Era uma situação de emergência. Foi encarregue de acompanhar e amparar a viúva. Outras mamanas também assomaram à porta da casa do deputado com a mesma missão, enquanto os homens tentavam uma saída para aquele imbróglio. Os filhos do falecido foram distribuídos pelas famílias mais próximas para brincarem com outras crianças.

Os madodas[8] foram unânimes: um funeral condigno impunha-se. Mas antes de tudo era preciso resgatar o que sobrara do infausto encontro entre o homem e o animal naquela viagem fatídica do

7 Termo que designa mulheres mais velhas, por alusão ao vocábulo do ronga, língua falada no sul de Moçambique. (N.E.)

8 Indivíduos maduros, dignos de respeito. (N.E.)

deputado. As notícias não eram animadoras. Só havia a bicicleta para testemunhar a violência da refrega. Mesmo a bicicleta, havia quem asseverasse, já vinha muito desfigurada. A peleja tinha sido de meter medo. Mas tinha que haver um funeral. Porém, não havia corpo para enterrar. O mais-velho por vezes rompia o seu silêncio proverbial e falava olhando para a imensidão do céu:

— A alma do morto só descansa quando enterramos o seu corpo.

Um outro, do grupo, interrogou-se:

— Como havemos de vestir o luto se não enterrarmos o homem?

A despeito, formaram-se várias comissões. As reuniões e a azáfama se haviam apoderado de todos. A aldeia preparava-se para se curvar à memória e em homenagem ao seu mais ilustre filho, o deputado da Nação.

— Ele merece um funeral de Estado!

Quase ninguém entendeu aquela frase desabrida, aquela enfática proclamação. As ideias sucediam-se:

— Temos que construir um mausoléu.

Também ninguém sabia o que significava aquela palavra que encerrava uma evidente grandiloquência. Apenas o professor, que era uma lenda da aldeia, se recordava do significado daquela estranha coisa que tinha sido invocada. Ele explicaria complicando:

— Mausoléu é um sepulcro suntuoso.

Mais confusão. O homem do partido, que fizera aquela eloquente proposta, encheu os pulmões de orgulho e rematou:

— Mausoléu é um lugar onde se enterram os grandes. Enterram é uma força de expressão. Na verdade, eles são depositados em gavetas.

Sem discordar, houve quem atalhasse:

— Os grandes, afinal, não estão depositados numa cripta?

— Sim, os nossos grandes descansam na cripta, mas esses são os grandes nacionais, outros assim como o deputado merecem também o nosso respeito, mas é um exagero fazer uma estrela como aquela construída na praça dos heróis à entrada da capital. Por isso, a ideia do mausoléu. Podíamos propor às autoridades que se fizesse um mausoléu para a ilustre figura da nossa aldeia.

O proponente di-lo com tamanho entusiasmo que ficara depois a olhar em volta à espera da anuência dos outros. O mais-velho, dono da casa, confirmou que era um homem sensato, coisa que se atinge também com a idade. Interrogou, derrubando os argumentos do homem que representava o partido:

— Essa coisa de cripta faz-se com adobe e se cobre com capim?

A ideia de construir seja o que fosse estava deitada por terra. Foram discutidas outras hipóteses. A verdade é que toda a gente estava de acordo: o deputado teria umas exéquias fúnebres à sua altura, uma homenagem sentida de toda a população, mas nada de ideias estapafúrdias, nada de proselitismos.

Depois, viriam certamente representantes de outras povoações, até da vila e da cidade, quem sabe um representante da própria Nação? Afinal, tratava-se de um eleito do povo. Era preciso providenciar alojamento para essas visitas insignes e seu respectivo acompanhamento. Foram organizadas casas para os receber e uma comissão dos madodas avançou para recuperar a bicicleta ou aquilo que dela sobrava: os despojos da guerra.

Estava decidido: seria sepultada a bicicleta, far-se-ia uma urna, que seria velada e enterrada como se do próprio dono se tratasse.

— Só assim a alma do homem descansará.

Ninguém se opôs e pareceu que a ideia era mesmo brilhante. A comissão das exéquias já estava no terreno, a comissão da logística e responsável por visitas desdobrava-se. Começaram os ensaios dos cânticos pela comissão das atividades culturais que funcionava na aldeia nos dias festivos como a data da independência e outras oca-

siões. Sempre que uma figura importante desembarcava naquele lugar, mesmo o próprio deputado tinha sido agraciado inúmeras vezes com aqueles cânticos. Era uma mamana da OMM[9] que cuidava do assunto e, ao que parece, mostrava uma indubitável competência. A comissão da ornamentação tratou de colher flores silvestres das mais variadas. À entrada da casa do deputado havia uma coroa enorme e o percurso que foi traçado do lugar onde sairia a urna até ao cemitério foi igualmente engalanado.

Nenhum pormenor escapou. Havia duas bandeiras apenas na aldeia. Uma por estrear, que viera com o administrador do distrito e fora guardada para ocasiões solenes; a outra estava rota. Ambas foram postas a meia haste. Os miúdos desenharam bandeiras nas folhas centrais dos cadernos e prenderam-nas com paus de caniço à entrada das casas. Vieram visitas de longe: o administrador, representantes de outras aldeias, uma alta figura do partido que ninguém sabia identificar. A aldeia toda compareceu na manhã do funeral e concentrou-se junto do palanque que ficava num descampado que servia de campo de futebol para os miúdos. Quase todos envergavam roupa que denunciava o luto e tinham os rostos compungidos de dor e tristeza.

A urna impunha num pequeno estrado. Foi coberta por capulanas[10], as bandeiras, as duas únicas que existiam não eram suficientes para todo o féretro. Os convidados tinham lugares sentados, assim como as autoridades locais e aqueles que se haviam deslocado para a cerimónia. A viúva e os nove filhos do deputado estavam sentados na primeira fila, do lado esquerdo, num banco sem costas, por onde passaria a enorme fila dos que lhes prestavam homenagem.

9 Organização da Mulher Moçambicana. (N.E.)

10 Panos utilizados no vestuário feminino em Moçambique de diversas maneiras: cobrindo o corpo, como um vestido, ao redor do quadril, como uma saia, enrolado na cabeça etc. As capulanas também estão muito presentes em rituais. (N.E.)

O velório tinha sido marcado para as primeiras horas, o sol foi célere a atingir o rosto dos presentes. As mulheres cantavam. O chefe da célula do partido fez o elogio fúnebre, seguiram-se mensagens, antes de os homens da aldeia carregarem, compungidos, aquela enorme e disforme urna. O cortejo percorreu o trajeto indicado, os cantos e os acenos dos que se despediam do deputado são inesquecíveis. Chegados ao cemitério houve mais elogios antes de a urna descer à terra.

No final, houve lavagem de mão, em casa do defunto. A cerimónia do chá tinha muita gente e aí as conversas, nos círculos dos homens, já denunciavam que havia alguma descontração. Os forasteiros começaram a despedir-se a meio da tarde para empreenderem a viagem de regresso. De repente, surgiu um burburinho e começaram a juntar-se pessoas. Chegara, não muito tempo antes, um mensageiro. O homem fizera tudo para chegar antes dos funerais da defunta bicicleta. Porém, houve percalços que o atrasaram pelo caminho. À sua volta estavam apenas os homens que haviam comparecido àquele último ritual de despedida do deputado. As mulheres mantinham-se num grupo à parte. O mensageiro caiu fatigado, sempre com a língua de fora. Ainda tentaram reanimá-lo. Estava morto antes de revelar o que lhe trouxera de tão longe.

Nelson Saúte nasceu em 1967, em Lourenço Marques (hoje Maputo), Moçambique. Saúte, que viveu os anos de guerra em Moçambique na década de 1980, tinha apenas sete anos quando o país se tornou independente. Muito de sua literatura traz ecos desse período da história moçambicana. Formado em ciências da comunicação, foi professor e jornalista.

Cabo Verde

Maltratadas pelas constantes secas e pela precariedade econômica, desde meados do século XIX as ilhas de Cabo Verde sofrem grande baixa populacional, devido ao alto índice de emigração. A música, a melancolia, as tradicionais festas populares, o medo e a fome são aspectos que fazem parte da sociedade cabo-verdiana.

Considerado um dos mais importantes escritores de Cabo Verde, Teixeira de Sousa apresenta uma espécie de "conto de formação", em que o próprio narrador vai revelando as mudanças e o amadurecimento pelos quais passou em certo período de sua vida.

Nesta história, a vida do personagem e sua relação com Dragão, seu cachorro de estimação, se mesclam ao cotidiano cabo-verdiano – parecido com o de muitos brasileiros –, marcado pela seca e pela fome.

Dragão e eu

Teixeira de Sousa

Era ainda menino mas chegara à idade de já poder ter um cão. E assim que soubemos, eu e o meu primo, que a cadela de nhâ Felismina tinha parido, saímos de abalada para a Achada-Grande para escolher a cria mais bonita.

Entrámos e a mulher indicou o recanto do quintal onde estava a parturiente. Fomos ver mas só restavam dois cachorros. Os outros morreram logo assim que nasceram, disse-nos nhâ Felismina por andar a cadela com o sangue fraco. Os sobreviventes mal se podiam arrastar para sugar as tetas da mãe. Ela, muito magra e escanzelada, também pouco se mexia. No entanto, o olhar escoava-se cheio de ternura das órbitas ossudas. A história dela era negra, negra como por vezes a dos homens.

Nhâ Felismina sugeriu que deixássemos passar uns quinze dias, a dar tempo que os cães se fizessem mais rijos. Enquanto não findaram os quinze dias não saímos do quintal da velha. Levávamos leite aos bichos, que depois ficavam com a barriga luzidia como a pele dum tambor.

Fazíamos projetos, eu e o meu primo. O meu havia de chamar-se Dragão e o dele Pirolito. O meu daria o cão mais valente da vila. O dele seria o rei dos animais.

Em casa não gostaram do cachorro, quando o trouxe da Achada-Grande. Acharam-no nojento e barrigudo. Minha avó até me descompôs. Disse-me que não tinha gosto nenhum nas coisas. Que nesse ponto não saíra a meu pai. Mas depois compreendi que o que não queriam era ter animais novos em casa que gritassem toda a noite.

Na verdade, nas primeiras noites, não se pregava o olho, pois o bicho gania até de manhã, sem um minuto de descanso. Meu pai ameaçou duma vez matar o animal. Fiquei cheio de medo e com rancor, ao mesmo tempo. E ensinaram-me a dar-lhe leite de noite até ele se fartar e deitá-lo a seguir em cama fofa. Foi remédio santo. Nunca mais piou. Fizemos-lhe autópsia e um enterro estrondoso. O mausoléu construído por um amigo nosso, dizia:

Aqui jaz Pirolito que faleceu em 6 de Abril
Com diarreia de sangue
R. I. P.

Dragão teve depois uma vida acidentada. Tudo por culpa dele. Veio um dia, meu pai disse à mesa que era melhor mandar castrar o bicho. Que havia depois de engordar e ficar bonito. Minha avó saltou do lugar para dizer simplesmente que conhecia um bom capador de animais. Eu perdi a fala. Atravessou-se-me um nó na garganta, de raiva, de revolta e de pena, de profunda pena de Dragão. Queria-o o cão mais valente da vila, capaz de derrubar a todos dum só golpe. Não disse nada nem pude. Mas fiquei-lhes com uma gana, que até me senti pequeno demais para tamanha ira. À tarde, na escola, não brinquei à roda da palmeira, a pensar na maneira de salvar Dragão das mãos do capador.

Foi-me impossível! Numa bela manhã, estava ainda na cama, chegou Pinoti-Capador. Não sei por quê, acordara com um mau pressentimento. Mal ouvi a voz de Pinoti reconheci-a logo.

O homem trazia uma faca na cinta e um rolo de cordas na mão. Olhei-o dos pés à cabeça. Usava alpergatas, umas calças velhas de tecido estrangeiro, a camisa cheia de remendos e um chapéu preto esburacado. Mas a faca, era uma faca americana, de cabo preto e lâmina estreita e encurvada.

Dragão brincava descuidado, correndo atrás das galinhas.

Quando vi aparecer a família para assistir ao ato, senti o peso do momento, sozinho em campo, meio desesperado.

Tinham todos ar de coniventes e eu esperava pelo momento fatal. Mal podia ainda discorrer sobre a situação e pensei então em tocar o cão para fora do quintal. Na altura em que decidi fazê-lo, agarraram-me uns braços enormes, grossos, cabeludos. Atirei pontapés, praguejei, fiz o diabo.

Tinham segurado o cão pelo focinho e preparavam-se para o amarrar. Dragão agitou-se doidamente. Viram-se atrapalhados com ele. O laço soltou sei lá quantas vezes. Mobilizaram o pessoal todo e era quase um exército de gente à roda do desgraçado. Em quatro ocasiões o vi perdido. Quatro vezes o vi escapo. Nisto, Pinoti-Capador afastou-se bruscamente com um dedo mordido. Quando reparei em Dragão, que pulara já para o muro do quintal, nem sei o que senti de alívio e de alegria. E assim se livrou de ser castrado.

Fomos crescendo os dois, mas ele mais do que eu.

A primeira briga que teve foi no largo da Praça, com outro cão da mesma idade, chamado Vulcão. Estiveram embrulhados quase uma hora. Vulcão era forte, corpulento, mas um nada mais baixo. Deitou-se-lhes terra, deitou-se-lhes água e só com muita dificuldade se conseguiu separá-los. Desde então ganharam fama e ficaram-se com um ódio tremendo, um pelo outro. Passado esse dia tiveram vários encontros. Na impossibilidade de saber-se qual era o campeão, os cães da Vila mantinham igual respeito por ambos. Na Vila-Alta quem mandava era Dragão. Na Vila-Baixa imperava Vulcão.

Na véspera de fazer o exame de 2º grau, encontrei-me na rua com o Frank, que também trazia o cão dele por uma correia. Se houvesse ali testemunhas, ficaria o assunto arrumado para sempre. É que vi nitidamente o Vulcão estar a torcer-se para o lado do dono. Frank disfarçou a coisa muito bem, procurando conter o animal que estava mais era cheio de medo. E disse que ia com pressa comprar senhas para água. Vulcão tremia de susto à frente do rival.

Frank foi também examinado no mesmo dia. Eu fiquei Bom e ele Suficiente. A família dele andou depois a espalhar que o júri não gostava do menino e por isso foi que só lhe deram a classificação de Suficiente. E que era inferior ao Frank mas em tudo. Em inteligência, em família e em educação. Reparassem depois qual dos dois havia de ser doutor. Brevemente o menino ia seguir para o melhor colégio de Lisboa. Só os filhos de pessoas bem relacionadas podiam frequentar esse colégio. Frank estava nessas condições e na realidade não tardou que eu e os outros não víssemos, com certa inveja, seguir o nosso companheiro de escola para o tal colégio de Lisboa.

A Escola! Não me queria convencer de que tudo tinha acabado. Não mais as lições em classe e as brincadeiras à roda da palmeira. Não mais os livros de leitura com trechos bonitos que eu lia em voz alta. "Marília e Gonçalves passeavam numa tarde, à beira do rio, quando Marília se descuidou e caiu à água. Gonçalves atirou-se ao rio, salvando Marília de morrer afogada." "Luís de Camões salvara os poemas lutando com as ondas."

Era um mundo de coisas belas. Os heróis, as guerras, os corações bondosos, os sábios que descobriram vacinas; e eu sabia tudo na ponta da língua. A professora falava com brandura e ensinava sem bater. No intervalo, mandava-nos sair e ficava a falar com o médico que todos os dias, à mesma hora, ali estava à porta à sua espera.

Um colega nosso disse-nos que o doutor andava a namorar a mestra. Acreditámos e descobrimos a razão por que todos os dias, tínhamos o intervalo de um quarto de hora.

Todos gostávamos da D. Alda. Sabia jogos engraçados, era alegre e muito nossa amiga. A mim só me castigou uma vez e foi com o nó do dedo. Tinha-nos passado um desenho para fazer. Depois andou pelas carteiras a corrigir o trabalho. Chegou ao pé de mim e estacou. Desconfiado, olhei para cima, mas ela sorria um sorriso bom de verdade "Ó Homem, isso parece mais é uma banheira" — disse-me ela. Na realidade, queria desenhar uma chávena[1] e saiu uma banheira. Então sentou-se ao meu lado para me ensinar a fazer uma xícara. Passou-me o braço por cima do pescoço para me agarrar a mão com que eu segurava o lápis. Os meus dedos sob os dela iam e vinham no papel branco. Foi conversando comigo, a explicar-me com muita paciência o desenho, mais um traço aqui, mais outro ali e agora a alça, depois o pires e eu para o fim só ouvia uma voz muito mansa ao pé do ouvido. Deixei-me estar assim não sei quanto tempo. Só acordei quando senti uma pancada no cocuruto da cabeça. "É para não ser distraído." Foi com o nó do dedo. A classe esboçou uma gargalhada mas ela ameaçou-a com um chiu! Tudo se calou. Eu coçava a cabeça olhando para um lado e para outro.

A Escola! Tudo se fora. Queria estudar mais. Queria continuar a aprender os oceanos e as capitais da Europa. Frank era bem mais feliz do que eu. Lá seguira para o tal colégio de Lisboa.

Quando chegou o mês de Outubro e vi claramente que já não havia mais escola para mim, tive uma ideia que me encheu de

1 Xícara. (N.E.)

alegria. Fui pedir à minha professora para me deixar continuar a estudar. Ela achou muito bem e disse-me que fosse todos os dias para a ajudar a lecionar os meninos mais atrasados. Voltei radiante para casa e contei à minha mãe.

Mas meu pai não concordou. Não, senhor. Já tinha idade de começar a trabalhar a sério. Que lhe fazia muita falta na loja, pois precisava dum ajudante de confiança. Expliquei-lhe que gostava de continuar a estudar, mas ele disse que não, que não valia a pena. Nunca mais apareci à D. Alda. Quando a via, fugia para ela não me tocar no assunto.

Entrei para a loja como ajudante. Levava o dia a pesar dois tostões de açúcar, cinco de arroz e meio tostão de sal. Por vezes enganava-me no peso. E lá vinha uma repreensão de meu pai.

A nossa loja ficava num largo e ao centro havia uma acácia enorme, plantada há bem uns cinquenta anos. Então uma manhã, da porta da loja, presenciei um facto curioso. A Câmara dera ordens para serem presos os cães vadios e registados os que tinham dono. Fui dos primeiros a mandar registar o meu. Nessa manhã, à sombra da acácia, havia para aí uns seis cães à solta, satisfeitos da vida. Mas só Dragão trazia a chapa do registo. Xalino e Chichiti andavam por aquelas redondezas a apanhar cães. Assim que viram os homens rasparam-se que nem foguetes, menos Dragão que continuou pachorrento ao pé da árvore.

Meu pai começava a gostar dele quando duma ocasião se atirou a um cão de gesso que havia na sala e derrubou uma mesa com fotografias. Quem pagou as favas fui eu.

Havia períodos em que se ausentava de casa, emagrecia, que ficava na espinha. Juntava-se à cadela da nossa vizinha, acompanhando-a dias seguidos em que pouco comia. Ninguém o fazia afastar-se ao pé dela. Nem eu. Bastava-lhe ver aproximar alguém para ficar a rosnar e a querer atirar-se. Jack, o nosso criado, esteve quase a ficar-lhe nos dentes. Brandiu o pau a tempo. A seguir ao incidente, reparei que o cão andava a três patas. Estando deitado, via-se-lhe a pata inchada e deformada. Mas Dragão era altivo, orgulhoso, soberbo na sua força. Nunca dava o braço a torcer por maior lhe fosse a desgraça. Para mim, não era apenas um animal de estimação, era um amigo mais velho que admirava, apesar de mais novo. Era independente e generoso para com os companheiros miseráveis. Não lhes tocava. Era bem diferente do Vulcão, como a noite do dia.

Minha prima Olívia adoecera gravemente da garganta. O Médico aconselhou a família a mandá-la para o hospital de S. Vicente, pois precisava de ser operada. Ficou tudo muito triste. Eu não fiquei menos. Ela tinha uns cabelos que lhe caíam pelos ombros. Os olhos pareciam de fogo e as maneiras, então, prendiam uma criatura ao pé dela. Foi a minha primeira paixão.

Dragão andou cabisbaixo, pensativo mesmo, no dia em que embarcou Olívia. À noite não preguei o olho e ouvi-o uivar na escuridão. Nem luar havia.

Esperámos um mês, mês e meio, e nunca mais soubemos nada do navio. Foi horrível. As famílias dos passageiros viveram horas atrozes, na esperança dalguma notícia. Até hoje! O barco possivelmente saltou de rumo e foi navegando por água abaixo enquanto as pessoas morriam à fome, tal como às vezes acontece em terra. Ou talvez fossem engolidas pelo oceano, pois o navio era velho. Durante esse período infeliz da história da nossa família, o meu tio também ia no veleiro, Dragão pareceu-me não ter feito nada que não fosse comer e dormir. O mundo para ele parara e para nós também.

Com quinze anos, já podia tomar conta do negócio e meu pai ficava assim com o tempo livre para tratar da propriedade do Norte. Entregue nas mãos do guarda, não dava lucros nenhuns. Em anos de muita chuva, armavam batuque ali dentro e destroçavam as espigas de milho no pilão, que nunca parava de bater. Isto dizia meu pai.

Recebi a notícia com alvoroço pois brevemente ia fazer-me homem, independente como Dragão. A voz tornara-se-me grossa e notei que o cão me era então mais submisso quando chamava por ele.

Para comemorar a resolução de meu pai, fomos à festa de Nossa Senhora do Socorro, a cinco quilómetros da vila. No regresso topámos com um rebanho que pastava num terreno negro de lavas. Dragão saiu a correr atrás dos animais como um louco. Em pouco tempo pôs o rebanho em debandada. Lá longe, numa nuvem de poeira, vi-o sumir-se que nem bala.

No dia seguinte não vendi nada. Perguntei a toda a gente por Dragão. Andei um ror de dias a pensar nele. Com certeza que o mataram. Minha mãe tinha palavras de esperança. Eu não tinha sossego. Escrevi para todos os cantos da ilha e ninguém me soube informar. Comparei o desaparecimento do cão com o horrível caso do veleiro de que nunca mais se soubera a nova. Pobre Olívia!

Felizmente não tardou que a minha vida retomasse o rumo normal. Numa bela manhã, quando a criada se levantou para pilar o cuscuz, deu com o Dragão estirado à porta da cozinha. Pulei dum golpe da cama. Mal se mexia de cansado, cheio de sede e de fome. Olhou para mim com insistência. Não se podia ter em pé. Lembrei-me de quando ele era pequeno e a custo se arrastava para chupar o leite da mãe. Só no fim de três dias recuperou as forças. Assim que se pôs bom, procurou a cadela da nossa vizinha para andar algum tempo na má vida. Minha avó disse que Dragão se parecia com o marido dela, que Deus tinha.

A propriedade do Norte passou a dar lucros mas, por outro lado, o negócio ia mal. Prevendo que meu pai me atribuísse a culpa, tratei de montar uma escrita nova onde viesse tudo completamente discriminado. Informei-me da atividade das outras lojas e pedi a um amigo, que estava na alfândega, para me pôr em dia com as importações. Uma semana inteira não me preocupei com mais nada senão com a organização da minha defesa. Pressentia o temporal. Já no horizonte via farrapos de nuvens açoitados pelo vento.

E a tempestade chegou.

Meu pai mandou fechar a loja para falar comigo. Que íamos fazer o balanço do ano. Do segundo ano da minha atividade no comércio. O primeiro fora razoável.

Aprontei a papelada com toda a paz do espírito. Trabalhámos para aí umas três horas. No fim foi o diabo. Que não zelava pelos interesses da casa, que era assim, que era assado. Que tinha sido informado das minhas passeatas à noite. E se supunha que era já homem, andava muito mal enganado.

Sereno tentei explicar com pormenores todo o movimento desse ano. Meu pai, furibundo, não atendia a nada. Repeti a tentativa de falar sei lá quantas vezes. Finalmente gritei a plenos pulmões que não precisava de ninguém. Que me considerava homem e tinha confiança nos meus braços. E saí pela porta fora que nem um furacão. Só me lembro que nos primeiros minutos tive medo de ter enlouquecido. À tarde, quando me voltou a calma, cheguei à conclusão de que eu é que tinha razão. Abandonei a casa tal qual às vezes fazia Dragão. Minha mãe pôs Jack atrás de mim com recados e muitos conselhos. Na verdade a única pessoa de quem tinha pena era dela. Mas a resolução estava tomada e não voltaria atrás. Se me quisesse ver, fosse à casa da tia Adélia.

Passei a dormir no quarto do meu primo e a comer do que me mandavam de casa pelo Jack. Dragão fugiu também e veio morar comigo. Deu-lhe para acompanhar-me para toda a parte. Parecia que tinha criado juízo.

Arranjei um lugar nos correios que me dava trezentos escudos por mês. Dava para vestir e calçar.

Em três anos que me achei entregue a mim mesmo, sofri uma destas transformações que só Deus sabe. Nem mesmo na fase em que pouco faltou para ganhar o vício do jogo me submeti aos conselhos de outras pessoas. Passei a contar comigo e só comigo. Tornei-me rebelde e havia noites que não me vinha deitar ao quarto. Metia-me com as crioulas de Fonte-Lexo, aguentando-me nos bailes até o riscar da manhã. Os moços da Braçal eram duros nos seus passa-noites. A coisa acabava sempre com pancadaria e tudo por questões de raparigas. Apagava-se o candeeiro e ouviam-se depois cantar os varapaus nas costas dos convidados. Ao menor indício, saía e ao largo assistia às brigas sem dono. As mulheres fugiam espavoridas e os machos de verdade fincavam-se no chão e esperavam pelo que desse e viesse. Ai do covarde que se lembrasse de abrir uma navalha! Ficava logo ali a dormir para sempre.

Em pouco tempo me equiparei ao meu cão, em desenvoltura, em altivez e em atos de independência. Cortei com o jogo no dia em que tive uma briga com o empregado superior dos correios. Chamou-me batoteiro, filho indigno, espirra-canivetes e uma série de calúnias. Embrulhámo-nos cá fora, mas veio gente e apartou-nos. Deixei-o em mísero estado. Nunca mais lá pus os pés.

Naquela noite não pude dormir e resolvi então ir tomar o fresco para o largo do Presídio. Ou fosse do calor, ou fosse da briga, não conseguia conciliar o sono. Enfiei as calças, vesti uma camisa e saí.

No Presídio, debrucei-me ao parapeito que deita para o mar. Lá em baixo as ondas rebentavam barulhentas. O eco na rocha era como que tambores rufando. A areia negra, a orla leitosa do mar quebrando, a rocha cortada a pique, era-me tudo tão estranho naquela noite! Por momentos esqueci-me dos trezentos escudos por mês, da briga com o funcionário superior e das dificuldades que ia ter para me vestir, calçar e fazer face a outras despesas.

Comecei a enrolar um cigarro. Procurei os fósforos na algibeira, não trazia. Vi ao longe um ponto aceso, andando. Aproximei-me. Era um pescador que vinha chupando pelo cachimbo. Acendi o cigarro e, quando lhe perguntei para onde ia, o homem não me respondeu. Levou a mão ao chapéu de palha e seguiu com o cachimbo ao canto da boca e a cana de pesca ao ombro. Tornei ao parapeito. Lá para as bandas da Brava piscava o farolim de um barco. Aparecia e desaparecia, cintilando como uma estrela. Era sem dúvida o farolim de um barco demandando o ponto da Furna.

As ondas, rebentando, faziam eco na rocha. A areia estendia-se negra até à ponta da "Barca-Baleeira".

Aproximava-se a madrugada. Os galos da Vila cantavam ali e além. O ar quente de Junho acariciava e o farolim do navio continuava piscando no horizonte. As velas bambas pela calmaria, ora acendiam, ora apagavam a luz de navegação.

Comecei a sentir sono. Ao mesmo tempo não me apetecia ir para casa. Resolvi então descansar um pouco sobre o banco escavado no parapeito. As estrelas riscavam o céu em várias direções. Os galos irrompiam em coro que se prolongava para lá da Vila como que descendo em escadaria, cada vez ouvindo-se menos até se sumir por completo. Já não se ouvia nada. Pararam de vez de cantar. As estrelas deixaram de riscar o céu. Era uma escuridão completa. Só sabia que havia mais gente na sala e dançava-se mansamente. Eu trazia a Guida de Fonte-Lexo apertada ao peito. Íamos e vínhamos ao som de uma morna[2]. Não se via nada e a morna parecia não ter fim. Depois já não era a Guida. Era a Olívia, minha prima. Mas

2 Típico gênero de música cabo-verdiana, a morna normalmente é cantada, acompanhada por instrumentos de corda e dançada aos pares em ritmo lento ou moderado. (N.E.)

ela há muitos anos que tinha desaparecido num barco. Não podia ser. Respondeu-me que não, que tinha voltado para me vir buscar. E se a gente não chegasse a S. Vicente como eles? Por que é que não havíamos de chegar, se eu ia também no navio — insinuou com ar enigmático? Não és corajoso! Tens medo! Vamos embora antes que acendam a luz!

Acordei de repelão com um contato úmido na cara. Ergui a cabeça, era Dragão que tinha ido ter comigo. Levantei-me estremunhado. Olhei e o Sol despontava por trás da serra. Dragão ladrou para três burros de carga que passavam. Segurei-o pela coleira e os machos lá se foram, à frente do carreteiro.

O barco ali estava ao largo, fixo no ponto onde horas antes tremeluzia o farolim. Trazia uma saudade grande no peito, uma espécie de remorso de ter adormecido ou outra coisa qualquer que não conseguia explicar a mim mesmo. Acordei na verdade com a alma constrangida e se fosse mulher, talvez chorasse. Olhei de novo para o barco que estagnava no meio da calmaria. As velas, arreadas a meio mastro, bamboleavam frouxas de estibordo a bombordo. Estava perto do porto da Vila e era natural que fundeasse.

Tinha absoluta necessidade de falar com a Guida de Fonte-Lexo. Procurei-a à tarde. Estive com ela no dia seguinte. Era uma mulata gostosa. Prendia com a sua frescura. Dragão fez-se grande amigo dela. Mas o pior é que estava desempregado. Precisava de ganhar dinheiro. A própria Guida me disse que não tinha roupa e ficaria contente se lhe arranjasse um vestido. Tratei então de falar com o secretário de Fazenda para me arranjar umas avaliações.

Felizmente consegui, não sem ouvir alguns conselhos do secretário. Que me procurasse portar bem para ver se destruía a má impressão que havia a meu respeito. Achei bem não ripostar e aceitei a incumbência de sair pelos campos, fazendo avaliações de prédios.

Eu e o Dragão fomos companheiros inseparáveis nas jornadas para o interior. A princípio caminhou tudo muito bem, mas depois comecei a notar o ambiente hostil que me rodeava. Duma ocasião, apedrejaram-me na estrada e por acaso Dragão correu atrás do homem que se agachou por trás de um tamarindeiro. Em parte dava razão àquela gente. Esperavam ansiosos pela chuva, que não vinha.

Mesmo que chovesse, era já tarde. Compreendia que a situação se tornava cada dia mais difícil e eu tinha que trabalhar de qualquer forma. Dragão de vez em quando espetava as orelhas e punha-se a farejar por todos os lados. Eu sacava da pistola e parava a cavalgadura. Depois continuava estrada fora, sempre atento às pessoas que passavam.

De regresso tinha o amor gostoso da Guida. Minha tia soube que eu andava ligado a uma rapariga de Fonte-Lexo. Falou comigo quase em segredo e com muito receio que disparatasse. Se a minha mãe soubesse, teria grande desgosto. Que atentasse nos homens que se amigavam com mulheres dessa laia e que nunca mais se libertavam dos seus braços. Não fizesse uma coisa daquelas porque mais tarde me havia de arrepender. Não me lembro do que lhe respondi mas o que é certo é ela nunca mais me ter tornado a falar no assunto.

As avaliações acabaram e tudo depois seguiu o caminho que já se esperava.

A Vila enchia-se de gente que abandonava os campos sem água. Vinham esfarrapados, magros, com chagas enormes fedendo a podridão. As mães traziam os filhos pequenos à cabeça, em grandes balaios. Paravam à porta dos sobrados e mostravam os cestos de carriço onde se viam olhos gulosos emergindo de carinhas murchas de fraqueza. Deambulavam pelas ruas num cortejo de tristeza e desespero.

Pinoti-Capador morreu inchado, a brincar com uma pedra. Perdiam o juízo e ficavam que nem umas crianças. Os meninos ganhavam rugas e pareciam uns anões velhos. De noite recolhiam--se no casarão da Escola e no outro dia, ia-se ver, eram vivos e mortos estendidos a esmo pelo chão.

Recomeçava a peregrinação pelas portas das casas e repetiam-se as cenas que então se viam. Meninos chupavam tetas vazias, mães que recusavam o comer aos filhos, velhos que morriam nos largos públicos, na presença de toda a gente.

Quando lhes dava para emagrecer, iam a ponto de pouco faltar para uns esqueletos perfeitos. Mas depois inchavam e ficavam luzidios como a pele de um tambor. A seguir estiravam-se de comprido, os olhos escancarados para o céu aberto, sem nuvens, donde não caía a chuva.

Foi um tempo terrível aquele, para as gentes da ilha.

Para mim também. Empreguei-me na Assistência e corria para baixo e para cima dando ordens e tomando medidas. Mas as coisas podiam mais do que eu. Emagreci, sentia-me estafado e preocupava-me com o que via. Pessoas que conhecera robustas, vendendo saúde, quando me diziam os seus nomes, ficava de lápis parado a olhar para elas, esforçando-me por as reconhecer. No quarto punha-me a ler as listas da Assistência. Quase lhes podia contar os dias de vida. À frente de alguns nomes traçava uma cruz para no dia seguinte não chamar pelas suas almas.

Dragão deu para andar atrás duma cadela que viera também dos campos ressequidos e calcorreava a Vila com uma matilha de cães esfaimados. Por onde passavam, largavam enxames de moscas que iam pousar nos alizares das portas.

Minha mãe apareceu-me em casa de tia Adélia para me falar. Vinha abatida, triste e sobretudo muito envelhecida. Que não devia andar naquela vida pois era novo demais para me preocupar tanto. Deus havia de acudir aos pobres e se Ele não achasse bem fazê-lo, não seria eu, mísero pecador, a pessoa indicada para mexer no destino das criaturas. Fosse para casa, porque já não podia mais entrar no quarto que era meu e vê-lo sem ninguém dentro. Que tinha criado teias de aranha no teto e parecia uma casa desabitada. Que meu pai ultimamente se embebedava com aguardente e se punha também a chorar.

Os olhos de minha mãe brilharam de alegria quando, no fim, lhe disse que ia pensar no caso e dentro de um mês lhe havia de dar a resposta. A fisionomia ganhou por momentos a expressão do retrato grande da sala pintado por um alemão, na altura em que ela tinha a minha idade.

Dragão tinha brigas tremendas com os cães esfomeados da matilha por causa da cadela que queria só para ele. Era a primeira vez que o via atirar-se aos companheiros miseráveis. Mesmo velho, era um animal temível. Punha tudo em debandada e ficava sozinho, possuidor da fêmea que os outros cobiçavam. Depois deixei de o ver no grupo que deambulava pela Vila. Procurei-o por todos os cantos, durante uma semana. Teria desaparecido com a cadela? Mas não, vi depois a companheira dele ao lado de outro cão. Ninguém me soube informar. Onde estaria? Fui ao Curral do Concelho[3], a ver se ele ali estava. À porta tive uma ideia que me deixou seriamente apreensivo pela sorte do Dragão.

Vira-os comer excremento humano e sabia que os donos de burros e cavalos andavam preocupados com o facto de aparecerem esqueletos de animais pelos campos.

Ninguém me tirava isto da cabeça, que o meu cão tinha sido tragado por aquela gente que percorria as ruas da Vila. E não me tranquilizei enquanto não tive a confirmação.

3 Semelhante a "conselho". Regionalismo português para a divisão administrativa de um distrito. (N.E.)

Foi o nosso criado Jack quem me levou um dia a chapa de Dragão à Assistência, dizendo-me que a tinha achado na rocha da cadeia.

No quarto, fiz dois minutos de silêncio em memória daquele que fora um amigo durante nove anos. Nove anos de vida ziguezagueante e não menos ruidosa do que a minha. Mais tarde, eu embarcava num navio que seguia para a América. Mas fico-me por aqui. Já não conto mais. Soube depois que a minha mãe morreu de saudades. Só então me convenci de que se pode também morrer de saudades.

Teixeira de Sousa nasceu em 1919, na Ilha do Fogo, em Cabo Verde, e faleceu em 2006, em Oeiras, Portugal. Além de médico, Henrique Teixeira de Sousa escreveu contos e romances, dentre os quais estão *Contra mar e vento* (contos) e *Capitão de mar e terra* (romance), e é considerado um dos ícones da literatura cabo-verdiana, ao lado de nomes como Manuel Lopes, Eugénio Tavares e Jorge Barbosa.

São Tomé e Príncipe

Arquipélago situado ao sul do golfo da Guiné, colonizado pelos portugueses em 1485 e independente em 1975, São Tomé e Príncipe é um dos menores países da África. Nas histórias de seu povo, as palavras em português, misturadas a línguas imemoriais, aparecem embaralhadas ao canto e à dança.

Mento Muala, protagonista do conto a seguir, poderia ser um personagem de Jorge Amado. Ou então figurar em alguma canção de Dorival Caymmi.

Mesmo não estando na Bahia, mas em São Tomé e Príncipe, Mento se assemelha ao personagem muitas vezes retratado na literatura, nas artes plásticas e nas canções brasileiras: o malandro.

E, como qualquer malandro que se preza, ao lado da ginga e malemolência, Mento Muala guarda em si sua dose de melancolia – destilada pouco a pouco em sua história.

Solidão

Albertino Bragança

Quando Mento Muala chegava, cheio de bons-dias (*cuma bô sá ê, mina mum?*[1]), cabelo levantado na cabeça, ar vivido, as raparigas comentavam, entusiasmadas.

— As pequenas!... Mento está chegar!

Vinha do mato, machim[2] afiado, as calças enfiadas nas botas altas reviradas pelo cano, deixando a nu o teor branco do forro.

Por onde passasse eram sempre os suspiros das raparigas, o alvoroço das mães aflitas, pois a presença de Mento pouco se conciliava com o sossego das mais velhas de Almeirim e Maguida Malé.

Logo que chegasse, era sabido: ou saía uma história brejeira sobre as suas façanhas nos campos da noite, o sono vezes sem conta interrompido em váplegá[3] e cama alheios, ou era um bate-mão, já pr'a já, que deus não fez tempo para se perder.

1 Literalmente "como estás, meu filho?", em crioulo forro. (N.E.)

2 Faca usada na agricultura para capinar. (N.E.)

3 Pequena casa com paredes feitas de ramos de palmeira. (N.E.)

Transbordava vida, o raio do Mento. Folgazão de primeira, bailarino como nenhum, era vê-lo enrolado no peito das raparigas, deixando-se transportar, embevecido, pela cadência da melodia. Deambulava então pelos cantos do fundão, pisando terrenos só dele conhecidos, a voz sibilina sussurrando o refrão aos ouvidos da rapariga que se lhe alojava nos braços.

Simples, despretensioso e respeitador, assim era Mento Muala. Mas também brigão, quando a ocasião a isso o obrigasse. Como daquela vez em Cova Barro, em que pusera termo à festa, em pleno momento de animação.

Aconteceu que Mento conversava num grupo, enquanto do conjunto saía um samba estridente, daqueles que incitam ao êxtase, à entrega total. Nunca foi capaz de dizer donde surgira o par de dançarinos, mas o certo é que se sentiu brutalmente pisado pelo homem, precisamente no dedinho do pé esquerdo, onde um calo aflorava, rebelde, como couve-flor abrindo-se numa horta, em pleno esplendor da gravana[4].

— Eh, você pisou-me! — reclamou Mento, a voz refletindo dor, o rosto margoso anunciando revolta iminente.

— "Chê", eu que pisei você não senti? — respondeu, sobranceiro, o outro, enquanto continuava a dançar.

Certo que pouco homem teve coragem de assistir até ao fim, mas houve quem jurasse que nunca vira nada assim. O homem voou pelos ares, o impacte do muro atirando-o de encontro à parede. Reinou confusão, houve gritos e quidalês[5]. Até mesmo "Imperador" Meno — dispensa apresentação, pois quem não sabe da sua infalível participação em briga de fundão, não pode gabar-se de

4 Estação entre o período das secas e das chuvas, a mais fresca no arquipélago de São Tomé e Príncipe. (N.E.)

5 Pedidos de ajuda. (N.E.)

estar inteirado da vida social local — foi visto a correr em direção dos fundos da tribuna dos tocadores, de macheza diminuída, que o ambiente suscitava cuidados e proteção.

Não tinha mulher em casa, mas muitas fora dela. Sentia-se bem assim, homem de todas as mulheres e de nenhuma, debica ali, come acolá. Passava o tempo visitando as mães de filho (*maiá ê, cuma anzu sá ê?*[6]), mostrando interesse pela saúde dos rebentos, levando-lhes apoio moral, que outra coisa raramente podia fazer.

E as mulheres que não o largavam! Chegava a um nozado[7], sentava-se numa roda, largava uma soia[8], dando rédea solta à sua fértil imaginação e logo acorriam as raparigas, ávidas das passagens sempre picantes da soia que parecia nunca mais ter fim:

— *Sossóssó, pombim fadá mina de sum alê*[9]...

E nos momentos em que interrompia a narrativa, para se entregar a um canto cheio de nostalgia, pousava, distraído, a mão fagueira sobre os ombros da mais próxima, como que neles se inspirando para transpor a dureza da realidade e franquear as portas de um mundo de palácios suntuosos, de príncipes que viravam pombos, de *sum tataluga*[10] vencendo pela astúcia reis e ucuês[11] de poder incalculável.

Sempre o conheceram assim. Desde os tempos em que, garoto ainda, trabalhava na oficina de Sô Ferreira, o corpo constantemente besuntado de óleo, as mãos pondo a descoberto as entranhas das peças, eternamente fustigado pelos berros cada vez mais aterradores com que o gordo invectivava o pessoal.

6 Literalmente "ó mulher, como estão os anjos?" (anjos no sentido de "crianças"), em crioulo forro. (N.E.)
7 Cerimônia feita em memória dos mortos. (N.E.)
8 História de caráter popular contada em cerimônias fúnebres. (N.E.)
9 Literalmente "então, o pombinho disse ao príncipe", em crioulo forro. (N.E.)
10 Literalmente "senhor tartaruga", em crioulo forro. (N.E.)
11 Gigantes. (N.E.)

Homem de mil caminhos e de mil ofícios — assim o caracterizavam: aguadeiro, canalizador, pedreiro, marceneiro nas horas vagas. Nos trabalhos por onde andou, nunca desmereceu da fama de incansável que sempre o acompanhou. Mas quem conseguia deter Mento Muala mais do que cinco ou seis escassos meses num mesmo emprego? Ainda que acarinhado pelos companheiros, destacado vezes sem conta pelos chefes, partia sempre em busca do desconhecido, de novas gentes, acossado pelo desejo febril de romper com a monotonia.

Era exímio na cozinha, para ele não tinha segredo o idjogó, o mizongué, o soó[12], a caldeirada. E quando surgia em qualquer festa, convidado ou não, abancava-se em lugar de honra, servia-se do melhor e comia lentamente, de palato apurado, pronto para os elogios ou para as apreciações mais mordazes e jocosas dirigidas às cozinheiras.

Conta-se até que numa ocasião, no batizado do filho do amanuense José da Silva, em Batelo, após se ter servido de um calulu[13], cujo amarelo-esverdeado do molho regalava a vista, Mento Muala respirou fundo, lançou o olhar largo em direção à cozinha e inquiriu em tom lisonjeiro:

— Eu gostava de conhecer cozinheira que fez este calulu!

Logo de um dos quixipás[14] saiu, presunçosa, uma mulher denguendo as ancas, o rosto aberto num descomunal sorriso, através do qual se preparava para retribuir a gentileza de Mento. Avançou

12 Idjogó, mizongué e soó são, respectivamente: prato típico de São Tomé e Príncipe, feito com peixe, legumes e verduras; prato feito com óleo extraído do dendê (azeite de palma), peixe e mandioca, habitualmente servido no fim das festas – em Angola, esse prato se chama muzonguê; carne-seca. (N.E.)

13 Prato típico da gastronomia de Angola e São Tomé e Príncipe, feito com peixe, óleo de dendê e quiabo. (N.E.)

14 Barraca improvisada, feita de folha de palmeira, usada nas festas. (N.E.)

para a mesa, à volta da qual se ajuntava um numeroso grupo de convivas, e acentuando o sorriso respondeu:

— Fui eu, Linda da Cruz. Como, senhor quer mais?

— Quer dizer, eu quero só um copo de água, "pá" matar sal que era muito — e falava com toda a naturalidade, como se se entretivesse a cumular a mulher dos maiores elogios.

Gerou-se certo mal-estar, o homem de Linda avançou, encheu o peito, pediu satisfações. E Mento, calmo, preocupado logo em seguida com um aromado refogado de peixe seco, como se não fosse nada com ele.

Por ele dir-se-ia que não passavam as chuvas e gravanas: parecia constante o seu entusiasmo, inesgotável a fonte que o alimentava. Mas quem perscrutasse bem os seus olhos notaria que a alegria contagiante que irradiava de Mento era invadida, aqui e ali, por fugazes laivos de tristeza, pedaços de sombra em dia de sol radioso, que não chegavam, contudo, a retirar-lhe luminosidade.

E — essa é que é a verdade — Mento Muala não era o homem feliz que aparentava. Por muito que tentasse, era-lhe impossível disfarçar a inquietude vivida quando a noite caía, mansa, invadindo tudo — o mato, o quintal, a pequena gleba situada no seu flanco leste.

Nessas horas, sentado diante da porta da pequena casa de madeira e pavo[15]; o roçagar do vento nas folhas da anoneira[16] e os gemidos pesarosos dos munquéns[17] levavam-no a refletir sobre a sua vida, sobre essa sufocante solidão que não conseguia vencer.

Lencha fora a primeira pessoa a alertá-lo tempos atrás para o facto. Viveram juntos alguns meses, para Mento isso se traduzira num misto de prazer, mas também de temores e receios. Prazer

15 Estrutura feita de folha de palmeira, utilizada no teto de casas. (N.E.)
16 Árvore que dá anona, conhecida no Brasil como fruta-do-conde. (N.E.)
17 Espécie de ave típica do arquipélago de São Tomé e Príncipe. (N.E.)

pela afabilidade da companhia; temores e receios sem fundamento, é certo, mas que lhe provocavam um mal-estar, uma inquietação sem limites, como se temesse que algo de terrível lhes viesse a acontecer de um momento para outro. A sensação angustiante de cruzar uma estrada de olhos vendados, sujeito a todos os perigos.

Quando Lencha lhe perguntava a causa do seu silêncio, pousava sobre ela os olhos grossos e encolhia os ombros em tom displicente.

— Você não é homem "pá" viver com mulher em casa, Mento. Todos dias estou com olho em cima de você, você parece gente que já nasceu casado, que deixou mulher no outro mundo. Você não vive com gosto, Mento — Lencha falava-lhe com sinceridade, as palavras despidas de emoção, objetivas como projéteis atingindo em cadeia um alvo colocado próximo.

E tão sincera era, que um dia partiu sem deixar rasto. Mento encontrou-a meses depois, insistira com ela para que voltasse, mas fora impotente para a convencer. Lembrava-se de a ter agarrado com suavidade por um dos braços e de terem conversado durante horas. Mas ela persistia:

— Vai embora, Mento. Eu fui primeira mulher que você viveu com ela, vou ser também a última. Você mesmo sabe disso. Não vou voltar mais "pá" tua casa.

Voltou a procurá-la durante algum tempo, mas era como se a terra a tivesse tragado. Mas as palavras dela ainda hoje lhe insuflam os ouvidos, como pequeninas campainhas a cujos sons se não podia furtar: felinas, contundentes e, pior do que isso, proféticas. Fora de facto a primeira e única a permanecer em sua casa, a amarrá-lo à vida sedentária que não era a sua.

— Eu nasci para ser livre, pequena, não é você que me vai amarrar! — dizia, piscando o olho, desfazendo as esperanças das mais pegadiças.

E assim foi vivendo, tordo[18] pousando, despreocupado, em micondós, inhè-plétos e macambrarás[19]. E o tempo passando, os anos avolumando-se, a saúde não lhe permitindo já os excessos de outrora.

Bem que Mé Djingo, o vizinho vinhanteiro, o aconselhava amiúde:

— Sô Mento, deixa essa coisa de viver sozinho, vê se senhor arranja mulher. Senhor toma conta dela, ela toma conta de senhor. *Punda galu bilá vé, ê cá mudá cantá*[20], ô. Senhor toma cuidado.

— É meu destino, Mé Djingo. Se você nunca viu pau gunú[21] crescer "pá" céu, é porque é destino dele. Eu não preciso tomar cuidado com morte, porque ela não vai dar-me trabalho, não — e dava uma palmada nas costas do vinhanteiro, que se ficava a vê-lo afastar-se com passos já não muito seguros, em direção da sombra da frondosa goiabeira, onde era seu hábito dormitar.

Agora, mais propenso ao descanso, procuravam-no os garotos das redondezas para longas conversas, nas quais a imaginação sem limites se misturava com as reminiscências de uma vida rebelde e transgressora ("mítica", na expressão qualificada do Dr. Neco Celestino, homem profundamente conhecedor, dos poucos que conviveram de perto com Mento Muala e que lhe chegaram a desvendar a filosofia de vida).

— As pequenas!... Mento está chegar!

Outrora grito de guerra, hoje já não se ouve nos luchans[22] por onde Mento passava. Nem nos nozados as soias são já a encruzilha-

18 Sabiá. (N.E.)

19 Diferentes tipos de árvores. "Micondó", também chamado de baobá em algumas regiões da África; "inhè-pléto", árvore fina e alta; "macambrará", árvore cuja madeira é utilizada na produção de vigas e traves. (N.E.)

20 Literalmente em crioulo forro, "galo velho tem que cantar diferente", um ditado que significa que os hábitos devem ser outros na velhice. (N.E.)

21 Árvore de São Tomé e Príncipe que em seu crescimento lança novas raízes, num processo que pode ir formando grandes arcos. (N.E.)

22 Aldeias. (N.E.)

da de uma luta tão titânica e impiedosa entre reis e ucuês, príncipes e *sum fiticêlo*[23], como o eram dantes.

Fecharam-se os caminhos do mato, já não é tão intensa e pura a luz do Sol que debrua de estranhos matizes as flores silvestres que contornam os atalhos.

E isto porque, numa manhã chuvosa e triste de Setembro, em que o sol resignadamente se sumira...

Mento Muala morreu.

Albertino Bragança nasceu em 1944, em São Tomé e Príncipe. Formou-se na Faculdade de Ciências da Universidade de Coimbra, Portugal. Em Lisboa, iniciou sua carreira literária. Ao voltar para São Tomé e Príncipe, em 1975, dedicou-se a intensas atividades culturais, além de ser ministro de diversas áreas do governo. Em 2005, publicou o seu mais recente romance, *Um clarão na baía.*

23 Literalmente "senhor feiticeiro", em crioulo forro. (N.E.)

Guiné-Bissau

A Guiné-Bissau é um território de povos antigos: balantas, fulas, manjacos, mandingas... Cada qual com sua própria língua, dentre as quais figura o português. Em um país onde a dança tem um papel tão expressivo, a literatura é marcada, também, pela musicalidade.

A Guiné-Bissau tem forte tradição de cultura oral. Para os guineenses, o contador de histórias é considerado um conhecedor de profundos segredos e de sabedorias antigas – e, por isso, é muito respeitado.

A história a seguir começa com uma conversa entre duas crianças, estabelecendo o elo pela fala, para posteriormente iniciar a narrativa propriamente dita. Essa narrativa, que se assemelha a uma fábula, transforma em palavras a experiência e os ensinamentos passados boca a boca, de geração em geração.

A Lebre, o Lobo, o Menino e o Homem do Pote

Odete Costa Semedo

— O nome vai ser *chamado* "a Lebre, o Lobo e o Menino".

— O quê? Estás maluca, não estás? Pois só pode ser isso! Mas que fique claro, o nome vai ser "a história do Homem do Pote".

— Mas tu é que mandas na história que vou contar?

— Mandar não mando. Mas olha que até posso passar a mandar...!

Esta é mais uma das dezenas e dezenas de histórias de *lubu ku lebri*[1] que já ouvimos contar. Esta é-nos narrada por duas crianças: a Kutchi e a Cici. Ambas adoram ouvir histórias e de tanto ouvir, ganharam o hábito de contá-las também. Esta, contam elas, ouviram-na num *djumbai*[2] em Manganásia, uma tabanca[3] onde o passatempo dos mais velhos, ao cair da noite, é contar histórias às crianças; e esta história de "a Lebre, o Lobo e o Menino" como diz Cici intitular-se, ou "a história do Homem do Pote", como a Kutchi insiste em denominá-la, reza assim:

1 Literalmente "o lobo e a lebre", em crioulo guineense. (N.E.)

2 Festa, diversão, entretenimento. (N.E.)

3 Aldeia, em crioulo guineense. (N.E.)

Havia um homem que vivia numa tabanca. Possuía uma bolanha[4] que tinha pouca água; o terreno da sua horta era tão árido, tão árido como não sei quê que ninguém jamais viu e não dava quase nada. O coitado do homem vivia infeliz, pois quase nada tinha para dar à sua enorme família; o homem fez de tudo para resolver o seu problema: cavou uma fonte no quintal, mas uma semana depois a fonte secou e voltou tudo a ser como antes, enquanto outras famílias e todos os animais viviam com fartura e alheias à sua desgraça.

O homem, não querendo ficar de braços cruzados, decidiu mudar a situação em que vivia. O que fazer? Depois de um bom sono, o travesseiro haveria de aconselhá-lo. Logo de manhã, anunciou aos seus e despediu-se porque tinha de sair para *dar* umas providências a fim de arranjar solução para a situação que estavam a viver. Depois de tanto andar à procura de solução para o seu problema, o homem foi aconselhado a consultar um grande sábio, pois essa má sorte podia ser reflexo de um mau olhado ou de um trabalho feito. Então, o homem, depois de ter tido indicação do sítio onde vivia o grande sábio, decidiu ir à sua procura: andou... andou, andou, andou até que encontrou a dita moransa[5] e foi recebido pelo grande sábio.

Depois de ter explicado tudo, este aconselhou-o a voltar à sua moransa e fazer um pote enorme onde caberia toda a sua moransa e colocá-lo num canto da sua horta. Depois de o pote estar pronto, deixá-lo secar e enchê-lo de água. O grande sábio aconselhou ainda ao homem a poupar o pouco que tinha para o seu consumo e dedicar-se ao trabalho de encher o seu pote de água.

Tal como lhe foi recomendado, assim fez o homem. E enquanto este e a sua família se dedicavam a apanhar água para o pote, mui-

4 Terreno alagadiço, geralmente à beira de um rio, onde se cultiva arroz. O termo também é usado para designar uma horta. (N.E.)

5 Aglomerado de casas que pertence a uma família numerosa. (N.E.)

tos na vizinhança riam-se deles; outros achavam que o homem era maluco assim como toda a família, pois com tanta chuva que caía o homem andava a encher de água um pote enorme. Muitos ainda iam espreitar o enorme pote que o homem lá tinha e comentavam que era o pote de feitiço e que servia para guardar o resultado da feitiçaria. Assim, passaram a chamá-lo o Homem do Pote.

Onde quer que passasse, onde quer que fosse todos gritavam: Homem do Pote... Homem do Poote...! E par... par... par... par... par... saíam correndo. Perante todo gozo e tanta humilhação, o homem nada dizia, conforme a indicação do sábio; ainda aconselhou os filhos a não entrarem em brigas e zaragatas com os vizinhos da tabanca, pois o que ele queria era ver a sua terra a produzir como as dos vizinhos.

O Homem do Pote jamais deixou o seu pote secar; à medida que a água era utilizada, toda a família participava em ir à fonte buscar água para encher o pote; e lá conseguiu o homem superar a sua dificuldade.

Chuva fora, chuva dentro... chegou aquele ano!

Era ano da seca. Todos andavam aflitos com a falta de água, não chovia como era hábito; as fontes pouca água tinham, as bolanhas estavam quase secas; as hortas pareciam caminhos, sem uma erva sequer, quanto mais uma semente germinada. As famílias que guardaram algum da sua colheita anterior, tudo consumiram. Era um Deus nos acuda!

No meio desta calamidade, quem andava feliz e descontraído era o Homem do Pote. Água era o que não lhe faltava; o enorme pote estava sempre cheio. Por indicação do sábio, só à noite a família apanhava água na sua pequena fonte; durante o dia a fonte era deixada a repousar para se encher de água. Enquanto isso, toda a tabanca se punha em filas enormes à beira das fontes para apanharem um pouco de água, assim como as alimárias[6]; estas não faltavam, pois tinham medo de morrer de sede, pois o mal da seca não poupou nada nem ninguém e não era raro andar na rua e encontrar um animal caído a gemer de tanta sede; uns chegaram mesmo a morrer de tanta penúria.

Todos os dias antes de ir ao trabalho, o Homem do Pote regava a sua horta e saía deixando o seu filho mais novo a guardar o lugar, porque a horta estava repleta de legumes e frutos, que até parecia um oásis no meio daquela seca e daqueles terrenos áridos.

Questionava-se se o Homem do Pote não teria adivinhado a calamidade e se havia prevenido; era o único a viver com fartura. Perante estes comentários, o homem nem um pio dava. Jamais comentou o assunto, tendo continuado a sua vida normal como se nada se estivesse a passar.

No quintal do Homem do Pote não faltavam milho, feijão, alface, couve, laranja, mancarra[7], mandioca e muitas e muitas outras coisas de comer. Só o lugar de feijão dava para fazer oito casas de seis quartos cada uma.

A fome era tanta que muitos não resistiram e foram pedir ajuda ao Homem do Pote, pondo de lado toda a vergonha de terem troçado dele. O homem não hesitou em ajudar os que dele se tinham aproximado e pedido auxílio. Porém, nem todos tiveram o mesmo sentido; pois muitos faziam da noite amiga íntima e aproveitavam o escuro para irem roubar frutos e legumes na horta do Homem do Pote.

A Lebre, por sua vez, resolveu ficar de plantão em casa do Homem do Pote, de madrugada até à noite, durante três dias, até fixar o horário do homem. A Lebre já sabia quando é que o homem deixava a casa e quando regressava. Depois disso, foi à horta de feijão

6 Designação dada a qualquer animal, especialmente aos quadrúpedes. No sentido figurado, pode ser usado para indicar pessoas grosseiras e brutas. (N.E.)
7 Amendoim. (N.E.)

e assim que o homem saiu foi ter com o filho que ficava de guarda na horta e disse ao Menino:

— Bom dia, Menino! Acabei agora mesmo de me cruzar com o teu pai lá na estrada e ele disse para tu me amarrares na horta de feijão e me deixares comer até à tarde. Sabes, Menino, o teu bondoso pai viu-me assim tão magrinho... ele que me conheceu forte como um pé de bissilão[8], teve tanta pena... tanta pena que me mandou cá vir.

— Olha, Lebre, o nosso pai é assim, ele é bom para todo o mundo; muita gente tem cá vindo pedir ajuda e ele nunca recusou nada a ninguém; nem àqueles que troçavam de nós quando a nossa terra era árida. Vamos, que vou amarrar-te num sítio com bom feijão e lá pela tardinha passarei para te desamarrar.

Depois desse dia a Lebre assim passou a fazer todos os dias, até que uma vez o Menino achou que já era demais e recusou-se a amarrá-la no local do costume. Foi aí que a Lebre pensou que o método eficaz seria ameaçar e amedrontar o Menino. No dia seguinte, toda pimpona, a Lebre chegou à horta do Homem do Pote.

— Bom dia, meu caro amigo, cá está o teu pobre e magro amigo para comer o que lhe deres...

— Olha Lebre, hoje não vais comer nada nesta horta, porque todos estão a arranjar alternativa, menos tu. Tu estás é a abusar da bondade do meu pai!

— Ai sim? Então não sabias que esta horta é que é a minha alternativa? Olha o Menino a querer armar-se em mau, olha bem para mim... para estes chifres bem aguçados; vou espetar-tos nessa barriga que andas a encher todos os dias... E sabes como? Assim: Tchuf... tchuf... tchuuf! E vai deitar sangue choorr... chooorr... Já te imaginaste a andar por aí com a barriga furada? Olha até que

8 Designação geral para árvores de grande porte. (N.E.)

seria bonito, o filho do Homem do Pote ser o Menino do Buraco na Barriga... Ah, ah... ah!... E olha menino mauzinho, não voltas a chamar-me Lebre, que não te dei confiança para tal, certo?

Ao dizer estas palavras a Lebre fazia levantar as orelhas, arregalava os olhos e fazia gestos de um grande felino que tinha uma presa à sua frente. O Menino, cheio de medo, correu a amarrar a Lebre na horta.

Depois de ter pregado um grande susto ao menino, a Lebre passou a ir todos os dias à horta e a viver à grande e com fartura, acabando por rapar uma parte do lugar do feijão; e o Menino não ousava explicar o que se passava ao seu pai, com medo da Lebre.

Um dia, o pai do menino resolveu dar um passeio pela horta, para tirar o que poupar para os próximos tempos, e qual não foi o seu espanto ao deparar com uma parte do lugar todo limpo; gritou pelo filho, a quem perguntou o que se tinha passado naquela parte da horta. O filho explicou que um animal que ele julgava ser lebre é que lá ia sempre comer; que o animal era parecido com a lebre, só que no lugar das orelhas tinha chifres.

Perante a explicação do filho, o Homem do Pote ficou confuso sem saber de que animal se tratava. Porém, entendeu armar uma cilada ao espertalhão. Pediu ao filho que amarrasse o animal bem amarradinho e que depois o mandasse chamar para vir, ele mesmo, tratar da saúde do aldrabão[9].

No dia seguinte lá foi a espertalhona da Lebre com as orelhas em pé, toda confiante de si.

— Então Menino, vou comer ou não? Já viste como os meus chifres estão esticadinhos e bem eriçados hoje? Ah! Ah... Só querem uma barriguinha para nela se enfiarem... Ah! Ah...

— Vamos para o teu local preferido e vou amarrar-te como de costume!

9 Pessoa que engana e mente; trapaceiro. (N.E.)

— Assim é que se fala, menino esperto!... Assim é que eu gosto, vamos! Olha, vou passar a chamar-te Menino Alternativa. Vamos que não há tempo a perder! E nesta horta tempo é feijão!

E lá foram, e a Lebre sem saber da sorte que a esperava. Depois de a ter amarrado, o Menino correu a chamar o seu pai, que mandou preparar um caldeirão com água e muita lenha. Mandou pôr caldeirão ao lume e foi procurar um pau que era para, primeiro, bater no intruso e depois escaldá-lo com água a ferver. Porém, enquanto o Homem do Pote estava nos seus preparativos para castigar o tal animal descrito pelo filho, a Lebre fazia os seus cálculos:

Como escapulir-se daquela situação? Bom, pensava ela: o papa-mel[10] costuma dizer que depois de *sabura*[11], a morte não é nada. Só não sei aonde é que ele foi buscar uma teoria tão parva. Depois de *sabura*, todos querem é mais *sabura* ainda...

Os pensamentos da Lebre foram interrompidos pelo barulho dos passos do Lobo que, cansado e cheio de fome, procurava o que comer.

— Então sobrinha Lebre, tu aqui tão amarradinha nesta horta verde-feijão; esta é que é uma boa vida!

— É verdade, tio Lobo, isto aqui é a cópia do mundo: uns cansados e cheios de fome e de sede, outros a viverem com fartura. Se quiseres pertencer ao grupo dos que vivem com fartura é só vires ao pé de mim, tirar-me estas cordas e ficas logo no meu lugar a comer feijão e a beber boa água.

— Mas, sobrinha, para comer não preciso que me amarres; já ando tão faminto que se me amarrares morrerei na corda!

10 Papa-mel é um tipo de formiga de cor avermelhada, típica da África, que se alimenta sobretudo de substâncias adocicadas produzidas por certas árvores. Em residências domésticas, é frequente encontrá-las mortas nos recipientes de açúcar. A sabedoria popular diz que morrem felizes, pois morrem de barriga cheia. Daí vem o provérbio "dipus di sabura mortu i ka nada" (ver nota 21, p. 93). (N.E.)

11 Período agradável, de alegria e divertimento, em crioulo guineense. (N.E.)

— Tio, sabias que depois de *sabura* a morte não é nada? Se o papa-mel alguma vez disse algo acertado é este dito, não concordas comigo, tio?

— Concordo plenamente, sobrinha Lebre, mas se me deixasses experimentar a *sabura* antes de me amarrares, aí ficava com a certeza de que se morrer, morrerei por uma causa justa.

— É, tens razão; podes começar a comer, mas deves comer devagar... muito devagarinho para não desmaiares já que não comes há muito tempo.

A Lebre, visivelmente preocupada, olhava para os quatro cantos da horta a ver se o Homem do Pote aparecia. De repente... zás...! Gritos e apupos de toda a família e demais vizinhos que acudiram ao apelo do Homem do Pote: uns traziam paus, outros pedras, outros ainda vinham com compridas e grossas *mantampa di sera*[12], tudo para castigar o intruso.

Ao chegarem à horta, deram com o Lobo que comia desalmadamente sem dar conta do que se passava ao seu redor; de repente sentiu uma chicotada nas costas e... agarrem que é o ladrão! Levantaram o Lobo do chão até que viram as suas patas a abanarem e... karuus... kadiiir no chão. O Lobo gritava a bem gritar pedindo socorro, mas nada! Estavam todos contra ele e nem lhe deram tempo de falar. Todos gritavam em coro: tu não tens palavra, seu grande aldrabão, ladrão de *n n'ânha*[13]...

De repente chegam o filho do Homem do Pote e o seu pai.

— Onde está o aldrabão? — perguntou o Homem do Pote.

— Está cá, e está quase pronto a ser escaldado, só estamos à espera das suas ordens — diziam os populares prontos a lincharem o infeliz, que já estava sem fala.

12 Varas tiradas da goiabeira e usadas para dar surras nas pessoas, em crioulo guineense. (N.E.)
13 Expressão que significa "não sei de onde", em crioulo guineense. (N.E.)

Qual não foi o espanto do filho do Homem do Pote quando viu que a Lebre continuava amarrada no fundo do quintal e bem caladinha, enquanto o Lobo apanhava e bem.

— Mas em quem é que está a bater? De certeza que não é o intruso... o ladrão, pois esse continua bem amarrado no fundo do quintal — dizia o Menino correndo em socorro do Lobo.

Enquanto o Menino socorria o Lobo, os populares, já bastante descontrolados, corriam em direção à Lebre, cantando:

— *Furtadur... laadron... furtadur... laadron!*

E antes que o menino pudesse pronunciar algo sobre o assunto, já estavam os populares a açoitar a Lebre com quanta força tinham, e esta nada podia fazer senão gemer da tão grande surra que estava a levar. Quanto ao Lobo, mal se viu livre das pancadas, pôs-se a caminho de casa, com a sua barriga bem cheia.

— Talvez o papa-mel tivesse razão para dizer aquela coisa: depois de *sabura* a morte não é nada; embora tivesse o corpo dorido, a barriga estava cheia. E ainda dizem que as crianças são terríveis, que são isto e mais aquilo... não fosse aquele menino que me salvou, a estas horas estava no caldeirão e a esperta da Lebre estaria livre como um passarinho a saltar de galho em galho. Hoje ela vai ver quantas pauladas valem a sua esperteza! — pensava o Lobo enquanto caminhava iós... iós.... iós... rumo à casa!

A Lebre viu que não tinha mais como gritar para ser acudida porque cada vez que gritava pedindo socorro mais açoite levava; e os que lhe batiam diziam quase em coro:

— Está a troçar de nós! Vamos à ela... — e, pir... par, pir... par, arrancavam em direção à marota: era paulada daqui, paulada dali até a esperta não poder mais. Aí a Lebre largou o corpo e antes de se deixar cair, ruus..., no chão, disse:

— Acabaram de matar uma pobre pedinte que não tem mãe, não tem pai, nem parente nenhum neste mundo cão...! — E a Lebre estatelou-se no chão; fechou os olhos bem fechadinhos e mal se lhe ouvia a respiração.

— Olha mataram a pobre coitada! — disse o Djambatutu[14] no meio da multidão amotinada na horta do Homem do Pote.

— Olhem quem fala, ele foi quem mais bateu na inocente — dizia um dos vizinhos do Homem do Pote.

— Eu bem dizia para não tratarem assim a infeliz, mas ninguém me quis ouvir – replicava uma voz indistinta no meio da multidão.

O Homem do Pote, indignado com a situação, pediu calma e silêncio, queria falar; pois de repente aquela gente que furibunda corria atrás do ladrão, que batia e que estava pronta a esfolar, de repente aquela mesma gente já não existia. Os paus, as pedras, as *mantampa di sera* já não eram pertença de ninguém; estavam abandonados no chão.

— Será que não há ninguém entre vocês que vá contar a verdade? Eu falarei só por mim... de facto preparei-me para dar uma surra no ladrão que cá vinha intrujar o meu filho, mas nem sequer me deixaram pôr os olhos em cima desta pobre coitada que agora está morta. E ninguém sabe nada dela. Se ao menos não estivesse morta eu até que lhe dava um saco de feijão para levar para sua casa já que vive só.

A Lebre continuou deitada e a imaginar como haveria de sair dali sem causar grandes alaridos, ela que já era julgada morta.

Enquanto o Homem do Pote falava, nem um murmúrio se fez ouvir, tirando o barulho das palhas bulidas pelo vento fraco que soprava; o silêncio era quase absoluto. E o Homem do Pote continuou...

14 Ave de plumagem macia e voo silencioso encontrada em vários países da África. (N.E.)

— Digam-me agora se nem nas cerimónias do enterro vão participar; de resto, depois do enterro vou pegar nestes paus, pedras e *mantampa* e levá-los à casa do sábio para fazer o trabalho de amaldiçoar as mãos que neles pegaram e que agora recusam redondamente tê-lo feito. Confio naquele sábio, foi graças à sua sabedoria que hoje tenho uma horta e uma bolanha que a todos faz inveja.

— Bom... — começou Djambatutu. — Acho que o Homem do Pote não deve precipitar-se em ir ao sábio tão cedo. É que estamos todos chocados com a morte desta órfã infeliz, por isso ninguém consegue aceitar que fez parte nesta malvadez.

— Ora aí está! É por isso que concordo contigo, Djambatutu, dizes coisas certas no momento oportuno. Aliás, em memória desta pobre coitada não devíamos estar nesta discussão. E desculpem, mas só agora é que eu reconheci esta infeliz: os pais moravam na baixada, depois do *pé di manpatá*[15]. Família honesta, muito honesta... isto foi mesmo um enorme azar causado por esta seca que ninguém sabe de onde veio — dizia Kôte Dua[16], com ar pesaroso.

— Quero ouvir todo mundo; se concordam com aquilo que Kôte Dua acaba de dizer têm de se pronunciar. Ninguém se vai esconder atrás das palavras de ninguém!

Dizendo estas palavras, o Homem do Pote agachou-se e começou a apanhar as pedras e os paus que estavam no chão.

— Espera, homem, aquele pau que acabas de apanhar é meu... quer dizer... meu, meu não é, mas eu é que vinha com ele na mão — disse a vizinha do Homem do Pote. A esta seguiram-se o gato, o cão, o leão e mais, e mais outros até que o chão ficou limpinho.

— Bom, estando este problema resolvido, vamos tratar do enterro desta coitada. Alguém disse que conheceu a família da Lebre.

15 Árvore de grande porte que dá frutos parecidos com ameixas, em crioulo guineense. (N.E.)
16 Águia de cor preta com plumagem branca no peito. (N.E.)

Quem foi? Precisamos saber para sabermos aonde é que a levaremos a enterrar — disse o Homem do Pote, que se autodeclarou mestre da cerimónia fúnebre, com um ar compenetrado e de muita responsabilidade. A Lebre, que tudo escutava de olhos fechados, estava cada vez mais aflita e o pior era que sentia o corpo todo dorido e não se sentia capaz de se pôr em pé para poder fugir dali.

— Meu Deus, é a primeira vez que sou apanhada desta maneira; nem um único cálculo meu deu resultado; até o estúpido do Lobo conseguiu safar-se. Caramba... até apetece dizer um palavrão! Bom, em voz alta não posso, mas no sentido é o que vou fazer, *mbé forti mufunesa*[17]. Se ao menos pudesse tirar partido desta canseira, sentir-me-ia compensada, mas está tudo tão confuso e tão complicado. E o outro que eu nunca tinha visto antes a falar bem de mim e a dizer que conhece toda a minha família depois de me ter dado uma boa sova — pensava a Lebre ainda deitada no chão, enquanto os outros estavam num corre-corre para a cerimónia do enterro.

O Menino estava triste com os acontecimentos, até porque já se tinha habituado à presença daquele animal que para ele não era Lebre. Bom, com o animal morto, se não tivesse medo, podia tocar nas suas orelhas ou chifres? Mas tinha tanto medo dos mortos... ao contrário do seu pai, que diz que um morto não pode fazer mal a ninguém e que se deve ter medo é dos vivos. Mas para o Menino um morto é sempre um morto. Porém, a curiosidade foi maior que o medo e lá foi o Menino tocar nas enormes orelhas do bicho. E qual uma luz, a ideia veio num *flash*: a Lebre, ao sentir as mãos do Menino nas suas orelhas-chifres, abriu um olho e reconheceu o Menino. "É desta que me safo!" pensou a Lebre.

A Lebre arregalou os olhos, rosnou como um cão e disse ao Menino:

17 Literalmente "que grande azar!", em crioulo guineense. (N.E.)

— És meu amigo até depois de morto; já estou morto e a caminho do céu, por isso desejo um último favor teu. Sei que errei enganando-te, mas também tive o castigo merecido e agora vou para o mundo dos mortos.

— Será que lá tu vais ter o que comer? — perguntava o Menino com as lágrimas nos olhos, e meio assustado com o "morto" que falava.

— É, meu caro amigo, aí é que está o problema, as dificuldades no outro mundo são maiores, sobretudo para quem fez algumas maldades. Nem água para beber vou ter, mas paciência! Vou ter que pagar por todos os males que te causei.

— Paciência nada, vou preparar-te um saco com bons alimentos que vai dar para comeres pelo menos durante um mês.

E assim fez o Menino: preparou tudo; alimento e água para a Lebre levar para o outro mundo e depois, a pedido do morto, ajudou-o a pôr-se em pé e meter-se mata adentro a caminho do outro mundo. Enquanto isso, a cerimónia do enterro era preparada; só que não haveria defunto para o caixão.

O Menino, aliviado e contente por ter ajudado o seu amigo a voltar para o mundo dos mortos, voltou para casa.

Quando o grupo encabeçado pelo Homem do Pote chegou já com tudo preparado e não encontrou o morto, foi uma outra algazarra: quem teria levado o defunto? Teria ido direto para o outro mundo sem ao menos esperar pelo caixão? Não pode ser, ele tem de estar em algum lugar!

— Vamos, todos... toquem a procurar! O defunto da pobre coitada tem de ser encontrado, ela não pode desaparecer assim... lugar de defunto é no caixão e depois é cova; isso desde que o mundo é mundo tem sido sempre assim. Não vai ser gente de Manganásia que vai mudar as coisas, dizia o Homem do Pote irritadíssimo, andando de um lado para outro.

A Lebre, no entretanto, não contente com a sua sorte, voltou para a sua casa onde guardou o alimento que o menino lhe havia dado e dirigiu-se à casa do Lobo.

— Boa tarde, querido tio, passei para lhe pedir desculpas pelo que aconteceu esta manhã. Jamais imaginei que a horta seria invadida por aqueles impostores. Olha, bateram-me tanto que desmaiei, por isso eu acho que devemos preparar a nossa vingança; porque se a mim bateram, ao tio foi pior... não foi?

— Bom, pior até que não diria, porque o Menino veio socorrer-me... mas...

A Lebre nem deixou o Lobo terminar a sua ideia e começou ela a explicar o que lhe havia acontecido, mas omitiu a parte da oferta do alimento. Expôs o seu plano ao Lobo. Este deveria fazer-se passar pelo morto e ela, Lebre, passaria por um familiar da Lebre morta em casa do Homem do Pote.

— Mas como é que vais justificar a diferença de tamanho, se sou mais gordo do que tu?

— Direi que o defunto ficou inchado de tanto açoite; vou pedir para não te tocarem alegando que é hábito e costume da nossa família.

— Está certo, concordo com o teu plano! Só não entendo o que vamos ganhar com isso. Espero que não venha a ser mais açoites.

— É assim... escute: o meu querido tio Lobo vai ficar bem deitadinho nesta cama; vai ficar bem esticado, de olhos fechados e sem se mexer. Vou tapá-lo todo com um lençol branco para impressionar aqueles atrevidos que nos bateram. E mais, vou preparar a minha *bémba*[18] e colocá-la ao pé do morto, ou seja, ao pé de si.

18 Depósito onde se guarda cereal. (N.E.)

Direi que o morto precisa de levar os seus mantimentos para o outro mundo, assim, tudo aquilo que cada um der será posto na *bémba*. Por debaixo desse depósito vou cavar um buraco por onde tudo vai parar, e assim farei com que acreditem que tudo o que deram foi para o outro mundo. E desta forma teremos vingado com muita inteligência... e sairemos a ganhar. Não vamos precisar de trabalhar nem de andar a pedir alimentos ao Homem do Pote.

O Lobo, todo contente, pôs-se a dançar achando brilhante o plano da Lebre. Esta, porém, não confiando muito no Lobo, resolveu ajudá-lo a deitar-se na cama. Mas depois de ter ido até a porta ouviu o Lobo suspirar, então, mais desconfiada ainda ficou, e resolveu amarrar o Lobo à cama sem que este pudesse mexer. O Lobo, desconfiado mas acreditando na astúcia da sua sobrinha Lebre, ficou bem quietinho na cama.

Antes de ir ter com o Homem do Pote, a Lebre rapou todo cabelo e pôs um chapéu velho, um pano no ombro e segurou uma bengala; aparentava ser um velho pobre e cansado. É nesta figura que a Lebre surge em casa do Homem do Pote. Este, impressionado com o aspecto da Lebre que se apresentou como um velho tio da Lebre morta, mandou-a entrar.

— Homem-grande, nem imagina a *foronta*[19] que nos aconteceu. A sua sobrinha estava cá entre nós, ela tinha tudo... nada lhe faltava, sabe como é... não sabe? Pois foi assim, depois de ter comido o seu feijão da manhã sentiu-se mal e morreu. O Kôte Dua estava aqui com mais uns vizinhos... todos tentaram ajudar, mas nada conseguimos; e foi assim que tudo aconteceu. Ficámos todos tão tristes que não imagina!

— Soubemos de tudo na baixada. Ela até está muito inchada; se a visse não a reconheceria; até parece que levou pauladas.

19 Aflição, em crioulo guineense. (N.E.)

— Pauladas? Meu Deus, já viu como cada morto arranja as suas fantasias para ir para o outro mundo! Tio, mas souberam que o defunto desapareceu? Ninguém soube mais nada dele... uma coisa bem estranha; e nós é que a deveríamos levar a enterrar.

— Quanto ao defunto não se preocupem porque ele está comigo. Felizmente, na nossa linhagem materna, quando um defunto corre perigo é imediatamente levado pelos espíritos para uma casa familiar. Foi o que aconteceu com aquela pobre; neste momento está pronta a ser enterrada à meia-noite, conforme a nossa tradição. E tudo o que puderem oferecer-lhe para levar para o outro mundo será bom para todos nós, sobretudo se alguém lhe fez alguma maldade de que se arrependa. Eu por exemplo trouxe tudo o que tinha da minha reserva para enfrentar esta seca que nos pegou este ano, isso porque tivemos uma complicação e bati nela... Mas, meu Deus, como estou arrependido de tal maldade!

— Bom, mas pelo menos já pagou a sua dívida, conforme a tradição; e nós, como poderemos fazer? É que também fizemos umas maldades com ela. Claro que não é do tamanho da sua, mas gostaríamos de fazer um grande gesto para consigo... já que nada tem. Para com a pobre coitada, que já está a caminho do outro mundo, estamos dispostos a fazer tudo conforme a vossa tradição.

— Só que infelizmente não poderão estar presentes no enterro. Sabia que nem eu vou estar presente? Só os espíritos é que vão presenciar e fazer tudo.

— Mas por quê, se vamos todos dar a nossa contribuição?

— Bom, ela morreu numa situação muito estranha, aliás, como me explicou; se por acaso formos assistir às cerimónias, o *djon-gagu*[20] vai querer saber a causa da morte para assim castigar

20 Cerimônia fúnebre realizada com o propósito de descobrir a causa da morte de uma pessoa. (N.E.)

os culpados... e eu, como disse, tive uma pequena complicação com ela e *djon-gagu* não perdoa nada, mas nada mesmo!

— Olha, se assim for eu concordo plenamente com esta ideia, apesar de não ter nada a esconder; mas, homem-grande, pensando no seu caso, sinto que devemos colaborar com a tradição.

— Muito obrigado, meu filho... e... se me pudesse dar aquelas coisas, aproveitava e levava-as quanto antes, para poder abandonar o local onde está o defunto.

— Claro que posso, aliás, faço questão e os meus filhos vão acompanhá-lo; eles é que levarão tudo, porque velho como está não poderá carregar todo este peso.

— Está bem, meu filho. Olha, foi mais fácil do que eu pensava.

— Disse alguma coisa, homem-grande?

— Não, não disse nada, só estava a fazer uma pequena prece. Adeus, filho!

A Lebre despediu-se do Homem do Pote e lá foi acompanhada dos filhos deste que levaram sacos e sacos de alimentos. Chegaram à casa da Lebre, e esta mandou-os entrar e fê-los ver o falso defunto. A Lebre fingia que queria sair daquele lugar o mais rápido possível. Os filhos do Homem do Pote, assustados com o tamanho do morto, saíram a toda a pressa. Assim que chegaram a casa, espalharam a novidade: Que o defunto da Lebre tinha o tamanho de um boi, que tinha unhas enormes e cabelos arrastando no chão.

Depois dos filhos do Homem do Pote terem abandonado a casa da Lebre, esta desamarrou o Lobo e dividiram irmãmente o produto; aí o Lobo lembrou-se novamente do papa-mel: *dipus di sabura mortu i ka nada*[21]! Mas o Lobo pensou para consigo: depois de *sabura* quanto mais *sabura* melhor!

21 Literalmente "depois do bem-bom a morte não é nada", em crioulo guineense. (N.E.)

No fim da história, as nossas amigas ainda discutiam sobre o nome da história e o final que este deveria ter:

— Não foi assim que eu ouvi, Cici! O Lobo não podia sair a ganhar coisa alguma. Quem sai a ganhar é a Lebre e tu deixaste que os populares lhe batessem...

— Kutchi... A Lebre foi mazinha... foi muito má ao ameaçar o menino que sempre a tratou bem.

— Mas Cici, tu é que a fizeste má, quando ela podia continuar esperta e marota; e não foi assim que ouvimos contar, a culpa foi tua!

— Eu ouvi exatamente assim, aliás, cada uma de nós ouviu como quis e conta como quer.

— Não concordo; mas, olha, se assim for... o gato que rouba peixe naquela história que me contaste, vou fazê-lo fugir; a cozinheira não o vai escaldar.

— Isso não, Kutchi... aquele gato é mesmo mau e arisco, e...

Odete Costa Semedo nasceu em 1959, em Bissau, Guiné-Bissau. Formada na área de letras, Odete, cujo nome completo é Maria Odete da Costa Soares Semedo, foi ministra da Educação Nacional e presidente da Comissão Nacional para a Unesco-Bissau. Também exerceu o cargo de ministra da Saúde de seu país. Tem escritos publicados na Guiné-Bissau e no exterior.

Angola

Angola se refaz após o término da guerra civil em 2002. Estima-se que nesses anos de conflito mais de 1,5 milhão de pessoas tenham morrido, enquanto outras quatro milhões tenham sido despatriadas. Os contos a seguir usam palavras como motins: mostram as várias faces da guerra, o amadurecer em meio à violência e a busca por uma identidade angolana, mesmo que ela custe lágrimas e sangue.

"Nós chorámos pelo Cão Tinhoso" faz referência ao conto do moçambicano Luís Bernardo Honwana, publicado em 1964: "Nós matámos o Cão Tinhoso". Nele, Ginho, o menino narrador, se torna cúmplice da morte de seu cão, mesmo sofrendo com o ocorrido.

Ondjaki, que também usa a voz de um narrador adolescente, retoma a emoção causada pela história do Cão Tinhoso. O conto de Ondjaki, como o de Luís Bernardo Honwana, traz as marcas da violência e da guerra na sociedade de Angola que, tal qual Moçambique, após conquistar a independência, em meados da década de 1970, entrou em uma longa guerra civil.

Nós chorámos pelo Cão Tinhoso

Ondjaki

Para a Isaura. Para o Luís B. Honwana

Foi no tempo da oitava classe, na aula de português.

Eu já tinha lido esse texto dois anos antes mas daquela vez a estória me parecia mais bem contada com detalhes que atrapalhavam uma pessoa só de ler ainda em leitura silenciosa — como a camarada professora de português tinha mandado. Era um texto muito conhecido em Luanda: "Nós matámos o Cão Tinhoso".

Eu lembrava-me de tudo: do Ginho, da pressão de ar, da Isaura e das feridas penduradas do Cão Tinhoso. Nunca me esqueci disso: um cão com feridas penduradas. Os olhos do cão. Os olhos da Isaura. E agora de repente me aparecia tudo ali de novo. Fiquei atrapalhado.

A camarada professora selecionou uns tantos para a leitura integral do texto. Assim queria dizer que íamos ler o texto todo de rajada. Para não demorar muito, ela escolheu os que liam melhor. Nós, os da minha turma da oitava, éramos cinquenta e dois. Eu era o número cinquenta e um. Embora noutras turmas tentassem arranjar alcunhas para os colegas, aquela era a minha primeira turma onde ninguém tinha escapado de ser alcunhado. E alguns eram nomes de estiga[1] violenta.

Muitos eram nomes de animais: havia o Serpente, o Cabrito, o Pacaça, a Barata-da-Sibéria, a Joana Voa-Voa, a Gazela, e o Jacó, que era eu. Deve ser porque eu mesmo falava muito nessa altura. Havia o É-tê, o Agostinho-Neto, a Scubidú e mesmo alguns professores também não escapavam da nossa lista. Por acaso a camarada professora de português era bem porreira e nunca chegámos a lhe alcunhar.

Os outros começaram a ler a parte deles. No início, o texto ainda está naquela parte que na prova perguntam qual é e uma pessoa diz que é só introdução. Os nomes dos personagens, a situação assim no geral, e a maka[2] do cão. Mas depois o texto ficava duro: tinham dado ordem num grupo de miúdos para bondar[3] o Cão Tinhoso. Os miúdos tinham ficado contentes com essa ordem assim muito adulta, só uma menina chamada Isaura afinal queria dar proteção ao cão. O cão se chamava Cão Tinhoso e tinha feridas penduradas, eu sei que já falei isto, mas eu gosto muito do Cão Tinhoso.

Na sexta classe eu também tinha gostado bué[4] dele e eu sabia que aquele texto era duro de ler. Mas nunca pensei que umas lágrimas pudessem ficar tão pesadas dentro duma pessoa. Se calhar é porque uma pessoa na oitava classe já cresceu um bocadinho mais, a voz já está mais grossa, já ficamos toda hora a olhar as cuecas[5] das meninas "entaladas na gaveta", queremos beijos na boca mais demorados e na dança de *slow*[6] ficámos todos agarrados até os pais e os primos

1 Palavra usada para caçoar ou ridicularizar, muito presente no universo infantil. (N.E.)
2 Discussão, debate, briga, confusão. (N.E.)
3 Matar. (N.E.)
4 Gíria que significa "muito", "bastante". (N.E.)
5 Calcinha. (N.E.)
6 Diz-se de qualquer tipo de dança em que o casal dança aconchegado, em ritmo lento. (N.E.)

das moças virem perguntar se estamos com frio mesmo assim em Luanda a fazer tanto calor. Se calhar é isso, eu estava mais crescido na maneira de ler o texto, porque comecei a pensar que aquele grupo que lhes mandaram matar o Cão Tinhoso com tiros de pressão de ar, era como o grupo que tinha sido escolhido para ler o texto.

Não quero dar essa responsabilidade na camarada professora de português, mas foi isso que eu pensei na minha cabeça cheia de pensamentos tristes: se essa professora nos manda ler este texto outra vez, a Isaura vai chorar bué, o Cão Tinhoso vai sofrer mais outra vez e vão rebolar no chão a rir do Ginho que tem medo de disparar por causa dos olhos do Cão Tinhoso.

O meu pensamento afinal não estava muito longe do que foi acontecendo na minha sala de aulas, no tempo da oitava classe, turma dois, na escola Mutu Ya Kevela, no ano de mil novecentos e noventa: quando a Scubidú leu a segunda parte do texto, os que tinham começado a rir só para estigar os outros, começaram a sentir o peso do texto. As palavras já não eram lidas com rapidez de dizer quem era o mais rápido da turma a despachar um parágrafo. Não. Uma pessoa afinal e de repente tinha medo do próximo parágrafo, escolhia bem a voz de falar a voz dos personagens, olhava para a porta da sala como se alguém fosse disparar uma pressão de ar a qualquer momento. Era assim na oitava classe: ninguém lia o texto do Cão Tinhoso sem ter medo de chegar ao fim. Ninguém admitia isso, eu sei, ninguém nunca disse, mas bastava estar atento à voz de quem lia e aos olhos de quem escutava.

O céu ficou carregado de nuvens escurecidas. Olhei lá para fora à espera de uma trovoada que trouxesse uma chuva de meia hora. Mas nada.

Na terceira parte até a camarada professora começou a engolir cuspe seco na garganta bonita que ela tinha, os rapazes mexeram

os pés com nervoso miudinho, algumas meninas começaram a ficar de olhos molhados. O Olavo avisou: "quem chorar é maricas então!" e os rapazes todos ficaram com essa responsabilidade de fazer uma cara como se nada daquilo estivesse a ser lido.

Um silêncio muito estranho invadiu a sala quando o Cabrito se sentou. A camarada professora não disse nada. Ficou a olhar para mim. Respirei fundo.

Levantei-me e toda a turma estava também com os olhos pendurados em mim. Uns tinham-se virado para trás para ver bem a minha cara, outros fungavam do nariz tipo constipação de cacimbo. A Aina e a Rafaela que eram muito branquinhas estavam com as bochechas todas vermelhas e os olhos também, o Olavo ameaçou-me devagar com o dedo dele a apontar para mim. Engoli também um cuspe seco porque eu já tinha aprendido há muito tempo a ler um parágrafo depressa antes de o ler em voz alta: era aquela parte do texto em que os miúdos já não têm pena do Cão Tinhoso e querem lhe matar a qualquer momento. Mas o Ginho não queria. A Isaura não queria.

A camarada professora levantou-se, veio devagar para perto de mim, ficou quietinha. Como se quisesse me dizer alguma coisa com o corpo dela ali tão perto. Aliás, ela já tinha dito, ao me escolher para ser o último a fechar o texto, e eu estava vaidoso dessa escolha, o último normalmente era o que lia já mesmo bem. Mas naquele dia, com aquele texto, ela não sabia que em vez de me estar a premiar, estava a me castigar nessa responsabilidade de falar do Cão Tinhoso sem chorar.

— Camarada professora — interrompi numa dificuldade de falar. — Não tocou para a saída?

Ela mandou-me continuar. Voltei ao texto. Um peso me atrapalhava a voz e eu nem podia só fazer uma pausa de olhar as nuvens porque tinha que estar atento ao texto e às lágrimas. Só depois o sino tocou.

Os olhos do Ginho. Os olhos da Isaura. A mira da pressão de ar nos olhos do Cão Tinhoso com as feridas dele penduradas. Os olhos do Olavo. Os olhos da camarada professora nos meus olhos. Os meus olhos nos olhos da Isaura nos olhos do Cão Tinhoso.

Houve um silêncio como se tivessem disparado bué de tiros dentro da sala de aulas. Fechei o livro.

Olhei as nuvens.

Na oitava classe, era proibido chorar à frente dos outros rapazes.

Ondjaki nasceu em 1977, em Luanda, Angola. Autor da novíssima geração de escritores africanos, antes de publicar seu primeiro romance Ondjaki já era reconhecido como contista, poeta, roteirista e artista plástico. Sua obra, ganhadora de diversos prêmios literários, já foi traduzida para diferentes línguas, como alemão e chinês. Entre seus livros estão *Bom dia camaradas* (romance) e *Os da minha rua* (contos), ambos publicados no Brasil.

No conto a seguir, o enfermeiro Justo Santana começa a ter presságios. Em seus sonhos, um pássaro grande e brilhante vem anunciar boas novas de liberdade e saúde para seu povo.

O conto de José Eduardo Agualusa traz reflexos da luta pela independência e da guerra civil angolana, deixando a violência nas frestas de uma narrativa que descreve situações inusitadas e fantásticas.

Entre o medo e as reminiscências dos conflitos, aparecem os sonhos dos sobreviventes.

Passei por um sonho

José Eduardo Agualusa

Começou com um sonho. Afinal, é como começa quase tudo. Justo Santana, enfermeiro de profissão, sonhou um pássaro.

— Passei por um sonho — disse à mulher quando esta acordou —, e vi um pássaro.

A mulher quis saber que espécie de pássaro, mas Justo Santana não foi capaz de precisar. Era um pássaro grande, grave, branco como um ferro incandescente, e com umas asas ainda mais brilhosas, que o dito pássaro usava sempre abertas, de tal maneira que fazia lembrar Jesus Cristo pregado na cruz.

— Fui sonhado por ti — disse-lhe o pássaro —, com o fim de esclarecer o espírito dos Homens e de trazer a liberdade a este pobre país.

O discurso do pássaro assustou o enfermeiro, homem simples, tímido, avesso a confrontos, e sem qualquer vocação para a política.

— Foi apenas um sonho — disse à mulher —, um sonho estúpido.

Na noite seguinte, porém, o pássaro voltou a aparecer-lhe. Estava ainda mais branco, mais trágico, e parecia aborrecido com o desinteresse do enfermeiro:

— Ordeno-te que vás por esse país fora e digas a todos os homens que se preparem para um mundo novo. Os brancos vão partir e os pretos ocuparão as casas, os palácios, as igrejas e os quartéis, e a liberdade há de reinar para sempre.

Dizendo isto sacudiu as asas e as suas penas espalharam-se pelo quarto:

— Com estas minhas penas hás-de curar os enfermos — disse o pássaro —, e assim até os mais incrédulos acreditarão em ti e seguirão os teus passos.

Quando Justo Santana despertou o quarto brilhava com o esplendor das penas. Na manhã desse mesmo dia o enfermeiro serviu-se de uma delas para curar um homem com elefantíase e à tardinha devolveu a vista a um cego. Passado apenas um mês a sua fama de santo e milagreiro já se espalhara muito para além das margens do Rio Zaire e à porta da sua casa ia crescendo uma multidão de padecentes. Alguns tinham vindo de muito longe, a pé, ou em improvisadas padiolas, e chegavam cobertos por uma idêntica poeira vermelha — bonecos de barro à espera de um sopro divino.

Justo Santana colocava na boca dos enfermos uma pena do pássaro, como se fosse uma hóstia, e estes imediatamente ganhavam renovado alento. Enquanto fazia isto o enfermeiro repetia os discursos do pássaro, incapaz de compreender a fúria daquelas palavras e o alcance delas. Todas as noites sonhava com a ave e todas as noites esta o forçava a decorar um discurso novo, após o que sacudia as asas, espalhando pelo ar morto do quarto as penas milagrosas:

— Se esse pássaro continuar assim tão generoso — disse Justo Santana à mulher —, ainda o veremos transformado numa alma despenada.

Isto durou um ano. Então, numa manhã de cacimbo, apareceram quatro soldados à porta da casa, afastaram com rancor a multidão de desvalidos, e levaram Justo Santana. O infeliz foi acusado de fomentar o terrorismo e a sublevação, e desterrado para uma praia remota, em pleno deserto do Namibe, onde passou a exercer o ofício de faroleiro.

Quando o encontrei, muitos anos depois, em Luanda, ele falou-me desse desterro com nostalgia:

— Foi a melhor época da minha vida.

Encontrei-o doente, estendido numa larga cama de ferro, sob lençóis muito brancos. No quarto havia apenas a cama e um pequeno crucifixo preso à parede. Na sala ao lado os devotos rezavam murmurosas ladainhas. Aquela era a sede da Igreja do Divino Espírito. Não tinha sido nada fácil chegar até junto do enfermeiro: os seus seguidores guardavam-no como a uma relíquia — na verdade mantinham-no preso ali, naquele quarto, quase isolado do mundo, desde 1975.

A melhor época da vida de Justo Santana terminou de forma trágica, numa noite de tempestade, quando um bando de aves migratórias caiu sobre o farol. Enlouquecidas pela luz as avezinhas batiam contra o cristal até quebrarem as asas, sendo depois arrastadas pelo vento. Isto está sempre a acontecer. Milhares de aves migratórias morrem todos os anos traídas pelo fulgor dos faróis. Naquela noite, desrespeitando as normas, Justo Santana foi em socorro das aves e desligou o farol. Teve pouca sorte: um barco com tropas, de regresso à metrópole, perdeu-se na escuridão e encalhou na praia. Dessa vez o enfermeiro foi julgado,

condenado a quinze anos de prisão, e enviado para o Tarrafal, em Cabo Verde. Foi solto com a Revolução de Abril[1] e regressou a Angola.

Quando o visitei, antes de me ir embora, quis saber se o pássaro ainda lhe frequentava os sonhos. Ele olhou em redor para se certificar de que estávamos sozinhos:

— Estrangulei-o — segredou com um sorriso cúmplice —, mas enquanto eu for vivo não conte isto a ninguém.

José Eduardo Agualusa nasceu em 1960, em Huambo, Angola. Muitos de seus livros — escritos nos mais diversos gêneros — são premiados e traduzidos para diversas línguas. Já publicou *Manual prático de levitação* (contos), *A feira dos assombrados* (novela) e *O vendedor de passados* (romance). Apontado como um dos principais escritores africanos da atualidade, Agualusa é influenciado pelo estilo de Eça de Queirós, Jorge Luis Borges, Rubem Fonseca e Gabriel García Márquez.

1 A Revolução de Abril, também conhecida como Revolução dos Cravos, aconteceu em Portugal em 25 de abril de 1974. Foi o fim de uma ditadura de 48 anos, comandada até 1968 por António Salazar. O movimento militar da revolução, contando com apoio popular, devolveu a liberdade e a democracia aos portugueses e abriu o processo de descolonização dos países da África. Os cravos se tornaram símbolo do movimento por serem distribuídos nas ruas para comemorar o fim da ditadura. (N.E.)

O conto de Boaventura Cardoso a seguir faz parte de seu livro O fogo da fala (exercícios de estilo). *Originalmente publicados em 1980, cinco anos depois da independência de Angola, os contos misturam palavras do quimbundo e do português, procurando criar uma língua que represente uma nova identidade, um modo de falar que não mais reflita um povo colonizado.*

O narrador de "Gavião veio do sul e pum!", uma criança, se junta a um visionário, tido como louco em sua comunidade. É com este amigo que o narrador caça pássaros e sonha com a liberdade – embora ela esteja, ainda, envolta em uma grande nuvem de violência.

Gavião veio do sul e pum!

Boaventura Cardoso

Estou olhar assim os pássaros estão brincar nas lavras, debicando aqui e ali é cantarolar, música é deles e riacho correr fintando pedras e sol bom e verdura é verde bonito em todos os lados e quando então faço xô! olha só os pássaros todas as cores a se levantarem assustados e estão embora bazar[1] noutras bandas!

Passarada infestando, Katiétié e Ngungela e Kikengo e rabo de junco e pardal e passaritos e começo andar depressa para lhes apanhar e todos tuí tuí katuí tuí. Cavalo Sem Dono larga corrida e faz voar nuvem: os pássaros! Lá longe estou ouvir ão ão ão. É cão. Cavalo Sem Dono vem vindo toupeira embocada. Lhe apanhou quando estava buracar nas lavras e zás!

Chego nas lavras e encontro as mibangas[2] foram mexidas. Como estavam ontem: desencontro as mibangas. Parece andou lá trator toda a noite. Tem pássaros nada e tem também o nada do

1 Gíria angolana para fugir, escapar. (N.E.)
2 Pequenas áreas cultivadas. (N.E.)

céu sem nuvens e o céu está limpinho. Na sanzala[3] ninguém está acreditar. Quem está roubar na lavra assim?

— Xé! — sibilante: o assobio. Nem reconheço meu avilo[4] Kilausse, estou mbora distraído no acontecimento.

Cada manhã se senta comigo e me fala histórias complicadas e fantasias da cabeça dele avariada.

— Qualquer dia vou virar pássaro e vou ir voar no outro lado — Kilausse está me falar mas está olhar longe.

— Como é que vais ficar pássaro? — meus zolhos chocam nos zolhos dele. Olhadas.

— Num sabes os pássaros conhecem muitas terras? Levam pessoas nas costas e são nossos amigos? Quando Kilausse vai ficar pássaro te levo também. Vamos fazer ninho para guardar ovos de todos os pássaros.

— E que é que vamos fazer com os ovos de todos os pássaros? — puxada: a língua.

Andrajoso e barba barbuda, à noite pernada nas lavras e falar com os morcegos e lhes berridar[5] e os morcegos a voar. É Kilausse — primeiro boca pequena. É Kilausse — depois muitas bocas a lhe acusarem. É gatuno, é feiticeiro, é ele mesmo quem está estragar nas lavras. Na xingação Kilausse está mbora rir. Maluco tem riso dele independente e maluqueira dos outros não é com ele.

— Muitos pássaros no céu... muitos ovos a voar e um ovo grande a baloiçar. Depois mato os ovos todos e meto os pássaros nos ovos...

Cavalo Sem Dono adormece. As moscas rodopiando perto dele não escapam.

3 Aldeia. (N.E.)
4 Amigo. (N.E.)
5 Expulsar, colocar para correr. (N.E.)

— Mas oh Kilausse quem te pôs assim maluco? — Corto: o silêncio.

— Eu não sou maluco. Maluco é teu pai que não sabe voar — evidente: a irritação — Kilausse sabe voar!

— Voa então Kilausse! — agito.

— Sei andar no ar sem asas. Um dia mato os ovos e meto os pássaros todos nos ovos a voar...

Passa e pousa adiante na verdura: um pássaro. Nos levantamos e estamos andar no meio das mibangas e os pés a se enfiarem na terra. Kilausse dá pernada. Sempre tem pressa de chegar onde?

Nas mibangas cada manhã: o traço passageiro do réptil. E ainda: buracos de toupeiras. Formigas formigando na azáfama diária e caracol só tem crosta e salalé[6] tem fortaleza dele na verdura e feijoeiro amigando caule de milho e macundeiro[7] e batata e milho também tem.

É Kilausse — boca crescente. Círculo interrogante, seculo[8] moderando. Olhadas. Ânimos exaltados, seculo arrefecendo. É Kilausse — boca, bocas, muitas bocas. Kilausse no fogo dos olhos todos está mbora rir. E então as pedras começam cair em cima dele zuá zuá e ele baza.

— É preciso proibir o miúdo de andar com Kilausse. Temos de lhe apanhar imediatamente — arrastando pés no entardecer os dois velhos ficam calados quando apareço assim fien! derepente.

Na sanzala Kilausse só está vir à noite. Crescente: nossa amizade clandestina.

Sol ardente, vento quase nada, eu e Kilausse estamos fisgar[9] nos passaritos. Cada pássaro toma! Vem mais um toma! Outro mais a vir toma!

6 Espécie de formiga, cupim. (N.E.)
7 Tipo de feijão, semelhante ao feijão fradinho. (N.E.)
8 Velho, idoso. (N.E.)
9 Atirar com uma "fisga" que, por sua vez, é uma atiradeira ou um estilingue. (N.E.)

Derepente ouvimos no capim está mexer. Viramos nossas caras: nada. Passado tempo outra vez ouvimos corrocochó corrocochó no capim está mexer. Estão nos espreitar alguém da sanzala. Apanhamos pedras e zás é atirar na direção deles. Silêncio. Parámos de atirar e lançamos olhos no local onde antes capim mexer: nada. Continuamos pedrejar. Kilausse diz qualquer coisa que ninguém percebe e depois estamos ver dois vultos longe a se afastarem. Nos rimos.

— Está na hora de ir trabalhar — de pé: a marchar.

— Trabalhar aonde?

— Não sabes Kilausse é chefe dos pássaros? — Kilausse: se afastando. Finge abrir porta do carro, bate porta do carro, mete mudança e arranca velocidade. Fico a lhe olhar desaparecendo.

Pássaros vêm atrás de pássaros e eu sempre a enxotar pássaros e pássaros a virem e pássaros a irem. Vêm em bandos na andança deles vacilante e quando a surpresa duma pedrada em cima deles partem todos em fuga. E voltam. Enxoto pássaros e pássaros e pássaros. E voltam mais.

Um dia alvejei passarito. Passarito caiu e corri atrás de passarito e apanhei passarito. Levei passarito na sanzala, ia comer no celeiro, cantava bem. Todos os dias ia ver passarito de manhã. Depois passarito começou a me acompanhar. Eu andava nos carreiros e passarito voava e me adiantava e passarito ia me esperar lá afrente no galho de uma árvore. Passarito desafiava Cavalo Sem Dono na corrida e voava rasteiro quase a tocar no cão. Éramos: família, eu, cão e passarito e Kilausse.

Ameaça chuva. Passarito baza. Cavalo Sem Dono bate corrida. Estico pernas no atraso, velha Umba ainda lhe ajudo lenha na cabeça. Passarito e Cavalo Sem Dono lhes topo? É chuva: na terra fertilmente. Umba comigo na passada chuvada.

Kilausse: já não é. Não pode ser Kilausse o destruidor. Muitas lavras muitas lavras destruídas. Cada noite: o terror. É boca: Kilausse, o destruidor de lavras.

Estamos todos sentados na lavra, em cima dum morro de salalé donde podemos ver a lavra toda e enxotar melhor: os pássaros. Kilausse tem comportamento: irrequieto. Se senta, se levanta, se senta, se levanta. Se coça na cabeça. Cavalo Sem Dono tem também comportamento dele: traquinices. Vai longe e volta nos meus pés. Tem corrida desorientada para direita e para esquerda.

Estamos assim sentados a enxotar pássaros a virem em bandos cerrados volteando e dando voltas e a irem e a virem. Pássaros de todos os tamanhos grandes e pequenos e coloridos, muitas cores e voltearem e a se chocarem e a caírem atordoados. Fisgar assim todos os pássaros em bandos volteando não dá e a mão começa ma doer. Tantas pedras aqui para fisgar pássaros e não chegam para tanto pássaro. Cada pedra vai sem rumo certo e pedra acerta só e pássaro cai. Estamos assustados com o céu a escurecer.

Estamos assim sentados a enxotar pássaros quando estamos ouvir barulho longe a vir perto de nós. Pássaros no céu a voltear ficam mais desorientados e pássaros se chocam e pássaros caem e pássaros fogem com rumo desacertado. Estão vir outros pássaros assim e mais pássaros a fugirem do barulho a aumentar assim e a ficar mais perto de nós assim. Kilausse então faz corrida com Cavalo Sem Dono até certo ponto e depois então Kilausse e o cão voltam para irem outravez loucamente.

Estamos assim a enxotar pássaros em bandos volteando e o barulho a aumentar assim cada vez mais e o barulho a vir assim perto de nós. E nós assustados. Sinto terra mexer e mibangas serpentear e barulho e mais barulho. Pássaros caem mortos com o barulho a vir assim e deixam desenhado no ar colorido de penas. As árvores estão baloiçar assim e montanhas a se movimentarem assim no ritmo das ondas. E vento está trazer gritaria agonizante.

Estamos assim a enxotar pássaros em bandos volteando e a caírem assim no chão e o barulho a aumentar assim e a vir perto de

nós. E nós assustados. E tudo está a mexer assim a terra e as montanhas e as nuvens e a terra e tudo a mexer assim. Kilausse e Cavalo Sem Dono não estou então lhes ver. E o barulho a aumentar a aumentar assim e o barulho a vir então perto de nós e tudo a mexer a terra, as montanhas e as nuvens e tudo e a terra e tudo tudo assim a mexer. E os pássaros a caírem todos mortos assim. E o barulho então está quase perto. Me escondo assim num barranco. E o barulho quase a chegar perto e não sei então onde estão Kilausse e Cavalo Sem Dono e pronto já está chegou. Estrondoso assim pum!

Escondidinho no barranco vejo então a vir rasteiro um passarão. Olhos assim, boca assim, asas assim. Assim gigante, assim grandalhão, um passarão assim. E o passarão então abre a boca gigante e mostra a língua vermelha. E as asas então do passarão começam então a abanar e levantam pó e as árvores a se mexerem e o vento então a ficar vento forte. Passarão todo dono do espaço assim a voltear oscilante. Estática: a natureza. Nem pássaro nem nada. Nem pássaro nem bicharoco. Passarão todo senhor dono do espaço. Assim passarão vem vindo rasteiro e desova! e rebenta! Cada ovo grande chega no chão: pum! rebenta e incendeia logo e faz buracão assim no sítio onde cai e fogo! Os ovos caem em quantidade e fogo! Fogo! Agachado no barranco só vejo fumo e fogo. Fogo! Tudo fogo. Fogo! Árvores caídas montanhas desaparecendo. O fogo! É fogo. Tudo fogo. Fogo! Fogo!

Passarão volteia e vai. E assim vai barulho estrondoso. Fico então no esconderijo mais tempo. E o barulho a ir longe assim. Me levanto assim atordoado. E o barulho a ir desaparecendo. E vejo assim o resultado: tudo destruído e queimado e arrasado e assado no fogo. E o barulho a ir. E vejo assim milho queimado, capim fumegante e fumarada assim. E o barulho a ir assim.

Tempo passa assim e eles não vêm: Kilausse e o cão. Assobio e ele não aparece: o cão. Ninguém, nem um nem outro: Kilausse e o cão.

Estou assim espantado. Olhar assim o fumo e o fogo e ouvir o barulho estrondoso desaparecendo assim. Estou assim espantado. Olhar tudo assim destruído e queimado assim e vejo então fogo e fumo se esfumando e na terra está verdejar, verde nas lavras, tudo verde. Estou assim espantado a olhar o verde a nascer e o céu a ficar limpo se enchendo da melodia dos pássaros reaparecendo. Estou assim espantado a olhar os pássaros reaparecendo e vejo: Kilausse e o cão.

Estávamos assim sentados a enxotar pássaros em bandos volteando, gavião veio vindo do sul e pum! vida renascente. Estávamos assim outravez sentados a enxotar pássaros em bandos volteando, vieram gaviões rugindo e pum! pum! pum! e os ovos dos gaviões não caíram e assim os gaviões não regressaram.

Estamos assim sentados esperando gaviões que vão vir com os ovos. E os gaviões vão vir e não vão regressar.

Boaventura Cardoso nasceu em 1944, em Luanda, Angola. É considerado um dos mais representativos escritores angolanos, ao lado de Luandino Vieira e Pepetela. A riqueza expressiva de seus textos revela-se na linguagem (que incorpora estruturas da oralidade) e na temática (que recupera temas da história de Angola), estabelecendo um elo entre a prosa e a poesia. Dentre os seus livros estão *Dizanga dia Muenhu* (contos), *A morte do velho Kipacaça* (contos) e *Maio, mês de Maria* (romance).

Este conto foi escrito em 1962 – época em que Angola ainda lutava por sua independência. Independência política, social e econômica, mas, especialmente, independência que trouxesse aos angolanos uma identidade própria, não aquela imposta pelos colonizadores.

A história de Zito Makoa, um menino negro, e Zeca Silva, um menino branco, retrata com singeleza e sensibilidade um universo marcado pela desigualdade, pelo preconceito e pela violência. Neste conto, a aceitação e a incorporação da diferença aparecem como a resposta possível para estancar os mais cruéis conflitos – e mostrar que, na palma rosa das mãos, está a inegável semelhança entre todos nós.

Zito Makoa, da 4ª classe

Luandino Vieira

Na mesma hora em que a professora chegou, já tinham-lhes separado. Mesmo assim arrancou para o meio dos miúdos e pôs duas chapadas na cara de Zito. O barulho das mãos na cara gordinha do monandengue[1] calou a boca de todos e mesmo o Fefo, conhecido pelo riso de hiena, ficou quietinho que nem um rato.

— Miúdos ordinários, desordeiros! Quem começou? — e a fala irritada da mulher cambuta[2] e gorda fazia-lhe ainda tremer os óculos na ponta do nariz.

Ninguém que se acusou. Ficaram mesmo com os olhos no chão da aula, fungando e espiando os riscos que os sapatos tinham desenhado no cimento durante a confusão. Raivosa, a professora deu um puxão na manga de Zito e gritou-lhe:

— Desordeiros, malcriados! És sempre tu que arranjas complicações!

1 Criança. (N.E.)
2 Pessoa de pequena estatura. (N.E.)

— É ele mesmo! — e essa acusação do Bino obrigou toda a gente a gritar, apontando-lhe, sacudindo o medo de respeito que a professora trazia quando chegava.

— Foi ele, sô pessora! Escreveu coisas...

— É bandido. O irmão é terrorista!

E os gritos, os insultos escondidos, apertaram-se à volta de Zito Makoa enquanto a professora sacudia com força o braço, para ele confessar mesmo. O miúdo, gordinho e baixo, balançava parecia era boneco e não chorava com soluços, só as lágrimas é que corriam na cara arranhada da peleja que tinha passado.

A confusão tinha começado mesmo no princípio da escola quando Chiquito, um miúdo amarelinho como brututo[3] e óculos de arame como era sua mania, xingou Zeca de amigo dos negros, por causa da troca da manhã. É que Zeca e Zito eram amigos de muito tempo, desde a 1ª a escola era a mesma e os dois gostavam sair nas aulas para caçar os pássaros nas barrocas das Florestas, antes de Zito Makoa, que estava morar no Rangel, ficar no largo da estátua, esperando a carrinha da borla[4] do sô Aníbal, naquela hora das seis quando o povo saíam no serviço.

Sempre trocavam suas coisas, lanche do Zeca era para Zito e doces de jinguba[5] ou quicuérra[6] do Zito era para Zeca. Um dia mesmo, na 3ª, quando Zito adiantou trazer uma rã pequena, caçada nas águas das chuvas na frente da cubata[7] dele, o Zeca, satisfeito, no outro dia lhe deu um bocado de fazenda que tirou no pai.

3 Raiz amarelada de um arbusto de mesmo nome, que tem propriedades medicinais. (N.E.)
4 Carona. (N.E.)
5 Amendoim. (N.E.)
6 Doce feito de farinha de mandioca e açúcar, muito popular entre as crianças angolanas. (N.E.)
7 Casa de construção precária, barraco. (N.E.)

Eram esses calções que Zito vestia nessa manhã quando chegou no amigo para lhe contar os tiros no musseque[8] e corrigir ainda os deveres, mania antiga.

— Sente, Zeca! Te trouxe três balas!

Zeca Silva olhou à volta desconfiado como ele não tinha, e riu depois:

— Vamos ainda na casa de banho. Se esses sacristas vão ver, começam com as manias deles!

Aí mesmo é que Bino lhes espiou. Da janela, como tinha a mania, e até costumava espreitar a professora e tudo. Viu Zito mostrar as três balas vazias, amarelas, a brilhar na palma da mão dele cor-de-rosa, e Zeca Silva — esse amigo dos negros, sem-vergonha! — desembrulhar ainda com cuidado, o carrinho de linhas caqui.

Toda a miudagem foi avisada, esse velho truque do bilhetinho passou na sala e assim que a campainha do recreio gritou, na confusão da brincadeira da saída atrás da professora, Bino pôs logo um soco nas costas de Zito.

— Possa, negro! Não vês os pés dos outros?

Era mentira ainda, Zito estava na frente, não podia lhe pisar. Isso mesmo refilou o Zeca logo, adiantando no meio dos dois. E aí Zito sorriu seu sorriso gordo e tirou o amigo.

— Deixa só, Zeca! Esse gajo anda-me procurar ainda. Chegou a hora!

Riu Bino, riu de cima da sua estatura de mais velho e arreganhou-lhe:

— O quê? Queres pelejar? Ponho-te branco!

E todos os miúdos seguiram atrás deles, os mais atrevidos satisfeitos com as partes do Bino, pondo rasteiras para Zito cair, mas o rapaz

8 Designação dada aos bairros periféricos de Luanda por estarem, geralmente, instalados sobre solos arenosos (em quimbundo, *mu*, "onde", *seke*, "areia"). (N.E.)

ria sempre. Cagunfas[9], ele não era, mesmo que o Bino era mais velho e mais alto não fazia mal. Sempre pelejava lá em cima com os outros monandengues nas areias vermelhas do musseque onde estava morar e por isso mesmo lhe adiantaram chamar de Makoa: curtinho e gordo, mas, força como ele, só esse peixe no anzol.

Foi ele que pôs a primeira bassula[10] no Bino e atacou-lhe logo um gapse[11] mesmo no pescoço, mas os outros amigos do miúdo — eram três — quando viram, saltaram em cima do Zito e surraram-lhe socos, pontapés e tudo e mesmo os outros que estavam de fora não quiseram desapartar, falavam era mesmo bem-feito, esse miúdo tinha o irmão terrorista, todos sabiam, e o melhor era partir-lhe a cara dessa vez para não abusar.

E nessa hora que lhe apontaram com o dedo, mostrava a cara dele chorando das chapadas da professora, não era da dor, não: era da raiva desses sacristas, quatro contra um, mesmo com o Zeca depois a defender-lhe, tinham-lhe machucado no lábio e no nariz e ainda por cima punham mentiras na professora.

— Verdade, sô pessora. Eu vi o papel!

— Não sei o que ele escreveu, mas ele e o Zeca Silva têm a mania de escrever essas coisas que não nos deixam ler.

A professora virou-se depressa, balançando as gorduras, e chamou:

— Zeca Silva!

O berro encheu a sala e o miúdo levantou da carteira onde estava esquivado desde o princípio da conversa. A mão dele, rápida, amachucou um papel pequeno.

— Vem cá, malandro. Tenho que me queixar ao teu pai, para ele saber a prenda que tem. Anda cá, aproxima-te!

9 Medroso. (N.E.)
10 Rasteira. (N.E.)
11 Golpe de luta. (N.E.)

Zeca veio devagar, enxotando o cabelo dos olhos, guardando a mão no bolso. Os outros cercaram-lhe à volta da professora cambuta e Bino aproveitou para dar-lhe ainda um empurrão. No meio daqueles miúdos todos, arranhados e despenteados, ficou o Zeca com os olhos pousados no chão, o Zito Makoa chorando de raiva e a professora.

— Mostra já o bilhete que escreveram. Depressa!

— Não escrevemos bilhete nenhum...

— É mentira, é mentira, a gente viu! — as falas pareciam gritos de corvos à volta do monte de lixo.

— O bilhete, depressa! — e afastou-se para tirar o ponteiro.

Sucedeu um mexer rápido, a roda ficou mais grande à volta dos miúdos e a primeira ponteirada bateu certinha, como era técnica da professora, na orelha do Zeca, mas ele não falou ainda.

— O bilhete, uma! O bilhete, duas!...

E as ponteiradas continuaram a bater-lhe na cabeça e no ombro. Foi aí que Zito Makoa se pôs na frente e levou a quarta pancada.

— Dá ainda, Zeca. Não importa.

Desta vez Zito caiu com o puxão da professora, mas levantou logo. O bilhete já — saía no bolso do amigo e a cambuta lia, encarnada, encarnada parecia era pau de tacula[12], para perguntar no fim com voz diferente:

— Quem escreveu isto? Foste tu, negro?

Zito nem teve mais tempo de se defender. As chapadas choveram de toda a parte e, quando a professora acabou, levou-lhe, pelas orelhas, no gabinete do diretor da escola. Atrás de Zito chorando, os outros miúdos acompanharam-lhe, uns com cara de maus, outros satisfeitos daquela surra.

12 Árvore nativa de Angola, cuja madeira vermelha é muito utilizada na marcenaria. (N.E.)

— Ah, não! Vadios na escola, não! Malandros, vadios de musseque! Se já se viu esta falta de respeito! Negros! Todos iguais, todos iguais...

A voz irritada da professora sentia-se cá fora, o Zeca Silva chorava a dor do amigo num canto da varanda, não sabia mesmo o que ia fazer para lhe ajudar naquela hora. Não gostava mentir, essa coisa de aldrabice nunca que fazia, a mãe sempre lhe gabava por isso mesmo, menino leal não falava nunca as mentiras, aquilo que ele fazia, tanto faz é bem, tanto faz é mal, ele acusava, e agora, naquela hora era melhor mesmo mentir, era ainda a maneira de o amigo levar menos, não lhe correrem da escola. Por isso é que tinha dado aquele outro bilhete, ele é que tinha-lhe escrito depressa, aproveitando a confusão.

Era o Zito mesmo que estava levar com as palmatoadas do diretor, se ouvia, cá fora, o barulho, mas nem um grito, nem um soluço mais, só as falas zangadas e raivosas da professora cambuta, chamando-lhe de negro malandro, mostrando o bilhete que ele, Zeca Silva, escrevera ela tinha pernas gordas, para salvar o amigo da escola, o amigo das brincadeiras e de trocar coisas.

O recreio estava acabar, o contínuo ia já tocar a campainha. Zeca Silva pensou então que não podia deixar o Zito sozinho, fechado no quarto do diretor, sem ninguém, abandonado com as dores, o melhor era mesmo fugir na escola.

Os outros todos entraram na classe e ele saiu então na casa de banho, onde tinha-se esquivado da professora e do diretor, e deu volta à casa da escola.

No jardim da frente tinha pardais a cantar nos paus e, nessa hora das onze, um sol bonito e quente brincava às sombras com as folhas e as paredes. Trepado num vaso alto, Zeca Silva, o coração a bater de alegria parecia ia lhe saltar do peito, empurrou a janela de vidro do quarto do diretor e chamou:

— Zito!

O amigo veio devagar, desconfiado e medroso, mas, quando viu era ainda a cara do Zeca a espreitar, quis pôr um riso no meio do choro calado, mas não conseguiu. Desatou mesmo a chorar com toda a vontade.

— Zito, deixa, não chores. O bilhete está aqui, o nosso bilhete está aqui. Ela não lhe apanhou. Aquele era outro.

Desamarrotando uma bolinha de papel, mostrou no amigo o pequeno bocado do caderno de uma linha onde, com a letra gorda e torta dele, Zito Makoa tinha escrito durante a lição: "ANGOLA É DOS ANGOLANOS".

Devagar, trepando na cadeira, sem barulho, recebeu o bilhete, guardou-lhe bem no calção e pôs outra vez na mão do amigo as três balas vazias, que luziram amarelas na pele cor-de-rosa de Zeca Silva.

Mirando o amigo afastar-se com depressa no passo dele, pequeno, de pardal, Zito Makoa deixou correr as lágrimas no meio do riso grande que lhe enchia no coração e engoliu, atrapalhado, o ranho que corria no nariz e lhe deixou na boca um bom gosto de mel.

Luandino Vieira nasceu em 1935, em Portugal. Ainda criança, José Luandino Vieira mudou-se para Angola, onde lutou pela independência. Foi preso diversas vezes e, na prisão, produziu grande parte de sua obra. Comparado a mestres da palavra como Guimarães Rosa, em suas histórias Luandino recria a linguagem e mescla lirismo à denúncia social. No Brasil, foram publicados seus livros de contos *Luuanda* e *A cidade e a infância.*

A mesma língua, outro continente, diversos países

É muito importante termos consciência da riqueza cultural que já existia na África antes da chegada dos europeus. No século XV, poderosas rotas de comércio já ligavam os mais distantes pontos do continente africano. Na época das Grandes Navegações, os portugueses tomaram conhecimento de muitos desses entrepostos e os aproveitaram para suas trocas comerciais. Em nome de uma intervenção pacificadora e civilizatória, exploraram territórios, confiscaram terras e impuseram o trabalho compulsório.

A escravidão, apesar da memória do horror e da humilhação, propiciou um intercâmbio entre o Brasil e a África. Para além de sabores, sons e crenças, o Brasil e alguns países africanos estão unidos pela mesma língua. Afirmando tal vínculo linguístico, em 1994 foi criada a Comunidade dos Países de Língua Portuguesa (CPLP). Os países signatários foram Angola, Brasil, Cabo Verde, Guiné-Bissau, Moçambique, Portugal e São Tomé e Príncipe. Em 2002, após sua independência, o Timor-Leste também aderiu[1]. E qual o papel da língua portuguesa na formação dos países africanos?

Em um primeiro momento, o português foi a língua do colonizador. Como a presença de Portugal concentrou-se no litoral, a maioria da população permaneceu falante dos muitos idiomas nativos. Eram povos de tradição oral, não do código grafado. O domínio da escrita em português tornou-se instrumento de poder, e o uso corrente das línguas nativas, pelos africanos, uma forma de resistência.

No século XIX, durante o Imperialismo, Portugal assegurou seus territórios africanos: iniciava-se o neocolonialismo e, durante a Conferência de Berlim, em 1917, os europeus decidiram fazer a partilha da África. As fronteiras artificiais juntavam povos de culturas completamente diferentes, submetidos a inúmeras formas de exploração.

1 Atualmente, a Guiné Equatorial, que tem o português como uma de suas línguas oficiais, pleiteia o ingresso na CPLP e é um país observador associado, tal como a República da Ilha Maurícia e o Senegal. (N.E)

As denúncias das injustiças começaram a ser fermentadas. Mas a independência dos países africanos foi reivindicada somente na época da Segunda Guerra Mundial (1939-1945), quando o controle das nações europeias sobre suas colônias se afrouxou. A ascensão do socialismo também contribuiu para a difusão de ideais revolucionários. A situação de Portugal – e de suas colônias – era diferente. A ditadura de António Salazar (1889-1970) durou de 1933 até 1968 e impôs um rígido controle sobre a África.

Neste contexto, a literatura agitou a bandeira contra o colonizador. Surgia o movimento da Negritude, afirmando a identidade negra. Muitos jornais também apareceram nas colônias portuguesas por volta dos anos de 1940 e 1960, buscando a difusão da consciência cultural e política nacionais. E foi pelo uso comum do idioma português que tal difusão se tornou possível.

Mesmo precisando usar a língua imposta, a literatura pode se dirigir a mais africanos. Os autores incorporaram costumes e tradições a seus escritos, e, conjuntamente com o português, isso serviu de impulso para lutar pela independência e para formar a identidade nacional.

Após lutas sangrentas, as então colônias africanas de Portugal obtiveram sua independência por volta de 1975. Entre outras medidas, para construir a unidade nacional, os governos dos países independentes investiram na educação em língua portuguesa, aumentando o sentimento de pertencimento a uma organização nacional. Assim, o idioma permitiu a divulgação da vida cultural e social que parte de dentro da África, respeitando a tradição e a história de cada um desses países.

Moçambique
Memória de um povo

Quando Vasco da Gama chegou a Moçambique, em 1498, deparou com um dos impérios mais ricos da África, o Monomotapa, que mantinha intensa troca cultural e comercial com povos de origem árabe e persa, entre muitos outros.

Ao longo do século XVI, Portugal impôs o controle militar sobre a região e, aos poucos, o império africano entrou em declínio. O comércio de escravos se tornou a principal atividade e, em 1752, Portugal nomeou um capitão-geral para a colônia.

Em fins do século XIX, a exploração de grande parte do território moçambicano ficou a cargo de exploradoras companhias privadas. Foram introduzidas as monoculturas de algodão e arroz, que até o século XX ainda empregavam trabalho forçado.

Em 1962, foi criada a Frente para a Libertação de Moçambique, a FRELIMO. Em 1975, depois de conflitos com Portugal, declarou-se a independência do país, com o partido socialista FRELIMO no poder. Foi então que Moçambique mergulhou em uma guerra civil entre seus dois principais partidos políticos, FRELIMO e RENAMO (Renovação Nacional Moçambicana). O RENAMO era apoiado pela África do Sul, principalmente, e acusava o governo vigente de proteger milícias dos movimentos emancipacionistas de países vizinhos.

Mulher celebra a notícia de que, em 1992, o então presidente Joaquim Chissano e o líder da RENAMO, Afonso Dhlakama, assinaram um cessar-fogo que colocava fim na guerra de dezesseis anos.

No início dos anos 1990, a população moçambicana enfrentou uma severa fome – resultado da guerra, da crise econômica e das fortes secas que assolavam o país. Diante da situação, fez-se necessária a abertura para a economia de mercado e a paz foi restabelecida em 1992.

Hoje com quase 22 milhões de habitantes, Moçambique está no 175º lugar no ranking de Índice de Desenvolvimento Humano (IDH), entre 179 países. Em 2004, depois de dezoito anos, foi eleito um novo presidente, Armando Emílio Guebuza. A cada cinco anos ocorrem eleições populares.

Na época do império Monomotapa, o idioma mais utilizado era o suaíli, com influências árabes. Atualmente, o português é a língua oficial, mas o macua, do grupo linguístico banto, é o idioma mais falado pela população. Também significativos são os idiomas xichangana, elomuê, cisena. O número geral de falantes de português cresceu de 25% para 39% entre 1980 e 1997, e vem aumentando.

Cabo Verde
A força da natureza

Cabo Verde é um conjunto de dez ilhas vulcânicas e cinco ilhotas cobertas de vegetação tropical. Navegadores fenícios, no século XI, teriam passado por lá; a partir do século XV os portugueses povoaram a região. As ilhas foram batizadas de acordo com o dia ou com a época do ano em que chegavam, ou com as características geográficas que possuíam. Por conta de seu posicionamento, o país serviu de entreposto para navegantes e comerciantes de escravos. Para os colonizadores europeus, também era porto de escala dos navios que exploravam a costa africana a caminho da Índia. Para assegurar o domínio português, empregou-se o cultivo de cana-de-açúcar, café e algodão, que devastou a vegetação original.

A independência de Cabo Verde veio apenas em 1975, depois de décadas de guerras violentas. Após uma fracassada tentativa de união

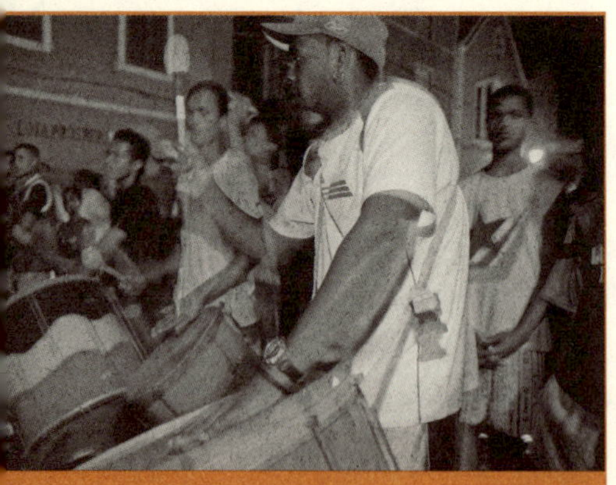

Assim como a tabanca e o maracatu têm semelhanças, em Cabo Verde a festa de carnaval é celebrada com música e dança, como no Brasil.

com a Guiné-Bissau, foi estabelecido um sistema unipartidário, que caiu com eleições multipartidárias em 1990 – regime que se mantém, com troca presidencial a cada cinco anos. Cabo Verde é um dos países democráticos mais estáveis na África. Com cerca de 540 mil habitantes, Cabo Verde está no 118º lugar no ranking do IDH.

O clima é muito instável, alternando períodos de fortes chuvas e longas secas. Grande parte da população emigra, inclusive para o Brasil.

Além das semelhanças históricas, Cabo Verde tem manifestações culturais parecidas com as brasileiras. É o caso da tabanca (ou *tabanka*), em Cabo Verde, e o maracatu nação, no Brasil. Ambos têm significados envolvidos no misticismo religioso e na oposição ao regime escravocrata.

Apesar de ter o português como idioma oficial, em Cabo Verde fala-se o crioulo cabo-verdiano (*krioulu kauberdianu*), que mistura uma língua nativa com a portuguesa.

São Tomé e Príncipe
Um pequeno território cheio de história

Este arquipélago era desabitado até o século XV, quando, em 1485, os portugueses chegaram. Tornou-se um importante entreposto do tráfico negreiro e do plantio de cana-de-açúcar, no qual foi empregada a mão de obra escrava. A parcela populacional mais numerosa da ilha acabou sendo constituída por africanos livres e escravos.

A tensão social que daí se originou causou o surgimento de núcleos de escravos fugitivos, muito semelhantes aos quilombos brasileiros. Em 1595, sob a liderança de Amador, um africano, o Reino dos Angolares (formado por ex-escravos, que ocupava o sul de São Tomé) se levantou contra o domínio português e chegou a controlar dois terços da ilha por um período.

No século XIX, o cultivo de café e cacau abriu espaço na economia de São Tomé e Príncipe, solidificando as estruturas administrativas da colônia. A escravidão perdurou até o século XX. Em 1960, surgiu um grupo de oposição que se transformou, em 1972, no Movimento de Libertação de São Tomé e Príncipe – MLSTP –, de caráter socialista. Mesmo com a independência, em 1975, as reformas democráticas só vieram na década de 1980. As primeiras eleições democráticas aconteceram em 1991, mas as lutas entre partidos fazem com que os presidentes mudem com muita constância.

Moradores de uma das ilhas de São Tomé e Príncipe, em 2002. Assim como no Brasil, a desigualdade social faz parte da realidade econômica do país.

O país ainda passa por crises econômicas. No final da década de 1990, descobriu-se petróleo no Golfo da Guiné, mas a falta de estrutura para sua extração ainda não possibilitou o retorno financeiro esperado.

O português é o idioma oficial de São Tomé e Príncipe – terceiro país do mundo com o maior percentual da população que fala língua portuguesa. Além dele, existe o crioulo forro ou santomense e o angolar, falado no sul. Em Príncipe, fala-se o *lunguye*, também uma mistura do português com outros idiomas africanos.

Guiné-Bissau

Variedade de línguas e povos

O território da Guiné-Bissau tem uma parte continental e outra insular, com cerca de oitenta ilhas. Suas origens estão ligadas ao reino de Gabu, pertencente ao poderoso império Mali, que contava com agricultura e comércio desenvolvidos. Os povos eram divididos basicamente entre povos do interior (alguns nômades, de influência islâmica) e do litoral (agricultores e criadores de gado). A diversidade étnica e cultural ainda é observada nas cerca de trinta etnias que compõem a população.

Os portugueses lá chegaram em 1446, se aproveitando dos entrepostos comerciais. Contudo, o interior permaneceu inexplorado. Contando com as rivalidades entre os povos, Portugal transformou a Guiné-Bissau em uma das principais áreas de captura de escravos.

Com o fim do tráfico negreiro os portugueses buscaram novas fontes de lucro. O interior da Guiné-Bissau foi invadido e a conquista do país só completada em 1915, embora houvesse resistência até 1936. Em 1956 estourou o movimento iniciado pelo Partido Africano pela Independência da Guiné e Cabo Verde (PAIGCV). Um dos mártires da luta foi o escritor Amílcar Cabral (1924-1973), que sonhava estabelecer a união política e econômica com Cabo Verde. A independência foi declarada em 1973, após uma guerra devastadora, sendo reconhecida em 1975.

Uma ditadura começou em 1976, quando João Bernardo Nino Vieira tornou-se presidente, com sistema de partido único de inclinação marxista. Na década de 1990 houve tentativas de instaurar a democracia por uma guerra civil, que só em 1994 culminou nas primeiras eleições livres pluripartidárias. João Bernardo Nino Vieira foi eleito; seu governo, marcado por grande repressão política e por sucessivas tentativas de golpes de Estado. Foi deposto em 1998 por um golpe militar que iniciou mais uma guerra civil, finalizada em 1999. Em 2000, novas eleições levaram um membro da oposição à presidência, Kouba Yalá, derrubado por um golpe militar em 2003. Em 2005, prometendo reerguer a Guiné-Bissau, Nino Vieira foi eleito, mas pela última vez: seria assassinado no início de 2009 por soldados leais ao seu rival, Tagmé Na Waié.

A corrupção e a violência assolam a Guiné. O aparelho estatal e a economia estão mergulhados em profunda crise. A economia guineense é baseada na pesca e na agricultura (caju, amendoim e arroz). A riqueza mineral é pouco explorada por falta de infraestrutura. Com uma população de cerca de 1,7 milhão de pessoas, o IDH ocupa o posto de 171º lugar.

Quem não pode com a mandinga não carrega patuá

O povo mandinga é um dos formadores da Guiné-Bissau, e praticava o islamismo misturado a cultos africanos. Conhecidos guerreiros, muitos mandingas foram trazidos ao Brasil na época da escravidão.

Penduravam ao pescoço um pedaço de couro, onde se liam inscrições do Alcorão – negros de outras etnias o chamavam de "patuá". Os mandingas tinham funções como as de capitães do mato. Reconheciam-se recitando versos do Alcorão. Se algum negro de outra etnia quisesse fugir, fingindo ser um mandinga, e não soubesse as palavras, era um traidor. Outras etnias viam nas palavras com sonoridade estranha (o árabe), uma feitiçaria, atribuindo poderes ao patuá. Com o passar do tempo, a própria palavra "mandinga" começou a designar feitiço, feitiçaria.

Aquarela de Jean-Baptiste Debret (1768-1848), que viveu no Brasil de 1816 a 1831, mostra um vendedor de flores no Rio de Janeiro colonial. No pescoço, ele leva um patuá.

Angola
A violência trasformada em poesia

Quando os portugueses chegaram pela primeira vez em Angola, em 1482, encontraram os poderosos reinos do Kongo e o do N'dongo, entre outros. Sem ter havido violência nos primeiros contatos, os europeus e as elites locais estabeleceram alianças econômicas, diplomáticas e religiosas. Os portugueses foram ampliando sua influência e inserindo novos meios de controle da região. Depois de encontrarem muita resistência, instituíram o sistema de capitanias e criaram ali um importante posto do tráfico negreiro para o Brasil, que virou sua principal atividade econômica. Entre os anos de 1641 e 1648, os holandeses invadiram Angola e nesse período o comércio de escravos foi direcionado exclusivamente para o Recife, no Brasil, também sob domínio da Holanda. Em 1648, Portugal restabeleceu o controle de Angola.

Menino angolano observa buraco de bala na parede. A história de Angola é marcada pela guerra e pela violência.

A exploração econômica seguiu até o século XX, quando começaram a surgir organizações em prol da independência: o Movimento Popular pela Libertação de Angola (MPLA), cuja maioria era falante do quimbundo e ligada às propostas políticas da antiga União Soviética, e a União Nacional para a Independência Total de Angola (UNITA), cuja maioria era de língua umbundo e vinculada aos Estados Unidos e à África do Sul.

Em 1961, o MPLA organizou um levante contra os colonizadores e foi fortemente reprimido pelas autoridades portuguesas.

Somente em 1975 Angola tornou-se um país independente. Mas a violência não diminuiu, já que os dois principais grupos políticos entraram em uma sangrenta guerra civil que matou 1,5 milhão de pessoas. A luta foi interrompida em 2002, com a morte do líder da UNITA. Para 2009 estão previstas eleições presidenciais, depois de mais de três décadas de governo do MPLA. Ainda existem tensões na fronteira, ao norte, com a República Democrática do Congo, por causa de jazidas de petróleo da região.

Em constante reconstrução, Angola está se recuperando. A capital, Luanda, tem novos planos de urbanização e vive um crescimento promissor. O português foi adotado como língua oficial, mas no dia a dia predominam idiomas como quimbundo, umbundo, cuanhama, quicongo e hereró, entre outros.

Das novelas brasileiras para as ruas angolanas

Um dos lugares mais marcantes de Angola é o mercado Roque Santeiro, considerado o maior mercado da África por alguns. Trata-se de uma espécie de feira ao ar livre em Luanda em que as pessoas, em barracas improvisadas, vendem de tudo, de milho assado a peças de computador, passando por armas ilegais e prostituição. O mercado recebeu esse nome porque, ao ser oficialmente inaugurado em 1990 (começara a funcionar na década de 1980), a novela de Dias Gomes fazia muito sucesso por lá.

O mercado inspirado em nome de profeta da televisão promete que lá, qualquer coisa que se queira comprar, é encontrada.

CRÉDITO DAS IMAGENS

p. 21 Ulla Montan; p. 28 arquivo pessoal; p. 39 arquivo pessoal; p. 60 arquivo pessoal; p. 72 arquivo pessoal; p. 94 arquivo pessoal; p. 103 Daniel Mordzinski; p. 110 Jordy Burch/ Divulgação/ Flip – Festa Literária de Paraty; p. 119 divulgação; p. 129 Rafael Hupsel/ Folha Imagem; p. 134 Alexander Joe/ AFP/ Getty Images; p. 136 Paul Gapper/ Alamy/ Other Images; p. 137 Alex Webb/ Magnum Photos/ Latinstock 15/6/2002; p. 139 Jean Baptiste Debret/ Museus Castro Maya, Rio de Janeiro; p. 140 Ami Vitale/ Liaison/ Getty Images 5/3/2000; p. 141 Alex Majoli/ Magnum Photos/ Latinstock 15/6/1999.